わかりやすい 福祉と 医療・保健の 仕組み

結城康博
河村　秋 ［編著］

書籍工房早山

目　次

第1部　制度論からの視点　　7

装幀　加藤光太郎

組版　岩谷　徹

第1部　制度論からの視点

第1章　福祉・社会保険・保健

結 城 康 博

1．社会「福祉」のイメージ

1．支える・助ける

　読者のみなさんは「社会福祉」という言葉をきくと，何だか「助ける」「支える」「偉い」「ボランティア」「心」というイメージを抱くのではないだろうか？逆に「お金」と結びつけて考えていくことに，消極的になる者もいるであろう。しかし，言い方をかえると，そういう風に考えたいという私たちの願望も，入り混じっているのかもしれない。

　実際に「社会福祉」の手続きや相談に役所へ行くと，全ては「お金」の話を抜きにしては語れない。社会福祉とは，まず「お金」が関係するものだ。たとえば，受付でどの課へいけばよいかと，部署一覧を見渡せば「生活保護課」「高齢者福祉課」「介護保険課」「児童福祉課」「障害者福祉課」といった看板を目にするだろう。しかし，「ボランティア課」「社会奉仕課」といった部署はない。

　つまり「お金」が，どのように「福祉サービス」に使われているのか？もしくは「個人の負担額は？」と，「制度・政策」論的な側面が大きい。生活に困った人，助けを求める者は，何らかの福祉サービスを利用するであろう。これらのサービスは，制度・政策が基になっている。

2．技術論的な側面

　だからといって，「ボランティア」「奉仕」「心」といった精神的なイメージを抜きには語れないのが「社会福祉」である。例えば，介護士が要介護者にケア

する「技術」，福祉に対する「志」。地域の人々の助け合いなど，制度・政策というよりは，「人と人」の接し方が「社会福祉」の神髄と考える人も多いはずだ。

　このような側面で「社会福祉」を捉える人は，「技術論」としての考え方である。福祉専門職も併せてボランティアなど地域の互助組織をも踏まえたうえで，利用者に対して，どのように接していくかが大きな論点となる。

　このように「社会福祉」とは，大きく「制度・政策」論としての考え方と，「技術」論的なアプローチの2つがある。多くの人は，どうしても後者の「技術」論的な捉え方をしがちではないだろうか。あえて本書では，「福祉」を「制度・政策」論的なアプローチで説明していくこととする。そして，その関連から「保健」という制度についても触れていきたい。

2．福祉は社会保障の一部

1．社会保障は3構成！

　既述のように「社会福祉」といえば，何となくイメージがつくが，「社会保障」制度となると，けっこう難しく考えてしまうかもしれない！確かに，「社会保険」「保険者と被保険者」「負担と給付」といったように用語が難しい。しかも，経済学の知識も必要で，数学的な計算もしなければならない。

　「社会福祉」といえば，児童や高齢者などに，どう接していくか？障害者福祉で言えば車椅子をイメージして，「介護」技術を勉強することもあろう。また，生活保護制度をイメージして，「貧困」について学んでいけばいいと思うかもしれない（厳密にいえば，生活保護は「福祉制度」ではなく「公的扶助」になる）。

　しかし，このような「社会福祉」制度は，一般的に解釈すれば「社会保障」制度の一部にしかすぎない。

2．社会保障の定義

　厳密には，「社会保障」の定義としては，1950年の社会保障制度審議会勧告による「社会保障制度とは，疾病，負傷，分娩，廃疾，死亡，老齢，失業，多

表1－1　社会保障制度の3分類

社会保険	社会福祉	保健サービス
医療保険	生活保護（公的扶助）	特定健診（メタボ健診）
年金	障害者福祉	妊婦健診・乳幼児健診
介護保険	高齢者福祉	予防接種・保健指導
雇用保険	児童福祉	がん検診
労働災害補償		公衆衛生

資料）筆者オリジナルに作成。

子その他困窮の原因に対し，保険的方法又は直接公の負担において経済保障の途を講じ，生活困窮に陥ったものに対しては，国家扶助によって最低限度の生活を保障するとともに，公衆衛生及び社会福祉の向上を図り，もってすべての国民が文化的成員たるに値する生活を営むことができるようにすることをいうのである。」[1]と規定されている。

　いっぽう，「社会福祉」は，同じく本勧告によれば「国家扶助の適用を受けている者，身体障害者，児童，その他援護育成を要する者が，自立してその能力を発揮できるよう，必要な生活指導，更生指導，その他の援護育成を行うことをいう。」[2]と定義されている。

　しかし，このような定義は難しいから，単純に，本書では「社会保障制度」として，「社会保険」「社会福祉」「保健」サービスの3分類について触れることにしよう。この場合，厳密には異なる概念ではあるが，ここでは「保健」とは「公衆衛生」も含むとしよう（表1－1）。

3．社会保険について

1．「保険」とは！

　私たちは，日々の生活の中で，何がしらの災害や病気に備えて「保険」を掛けているだろう。「生命保険」「自動車保険（任意）」「火災保険」など，「保険」という名のつく商品は，テレビCMなどでよく目にする。しかし，これらは「私的保険」で，個人が保険会社と契約（任意）することで加入する。いっぽう，「社会保険」制度は，市民全員が，強制的加入しなければならないのだ。

　もし，健常者であれば，自分で働いて収入を得て生活できるが，病気などに

表1-2　社会保険と民間保険の違い

社会保険	民間保険
強制的加入	任意（契約）加入
公的機関が運営	純粋な民間機関が運営
税金が投入されている	原則，税金は用いられちない
サービス水準は最低限であるが，普段の保険料（負担）は所得等に応じる	サービス水準は高いが，普段の保険料（負担）が高い

資料）筆者オリジナルに作成。

なると，収入がなくなり生活が困窮する。もちろん，「おカネ」のある人は，民間保険に加入しているから，問題ないかもしれない。しかし，普段，民間保険に加入していない人達は，かなり生活が難しくなるだろう。

　そのため，市民が強制的に加入する「社会保険」制度を設けて，皆で助け合う仕組みが設けられれば，社会全体も安定する。いわば，「社会保険」制度は，「防貧的機能」であり，「普遍主義（市民全員）」に基づくものである。

　いずれにしろ民間保険であろうと社会保険であろうと，「保険」には変わりはない！では，「保険」とは何か，といえば，万一の場合に備え，みんなで少しずつ保険料を出し合い，病気やけが，死亡等の場合に，お互い救済していこうという仕組みである。

　ただ，重要なことは，繰り返すが，普段，保険料（義務）を支払っていないと，もし，自分が困ったときにサービスが受けられないことになる。いくら，困った人がいても，その人が，普段から義務（保険料を支払う）を果たしていないと，原則，サービスは受けられない。例えば，年金制度では，10年間加入していないと（保険料を支払うなど），老後に年金は支給されず，無年金になってしまう。また，長期間，国民健康保険料などを滞納していると，病院などの窓口自己負担が10割となる可能性がある。いわゆる「保険」とは，「給付（サービス）と負担（保険料を支払う）」が原則なのだ。

　また，保険制度を運営するに当たり，財政運営が安定していなければならない。そのため，Ⅰ「大数の法則」Ⅱ「収支均等の原則」Ⅲ「給付・反対給付均等の原則」といった理論が前提となる。少し，難しいので，関心のある人は，保険の専門書で勉強すればいい。ただし，Ⅲ「給付・反対給付均等の原則」に関しては，私的保険のみで適用され，社会保険には該当しない。

2．社会保険と私的保険（民間保険）の違い！

　民間の生命保険会社や損害保険会社が運営している「私的保険」と，社会保障制度の一環として国や自治体が運営する社会保険とでは，「保険」といっても明らかな違いがある（表1－2）。

　まず，大きな違いは，「強制」か「契約（任意）」かである。強制的に加入する社会保険制度によって，市民全員が何らかの「防貧的機能」の枠に入ることができ，最低限の保障が担保できるであろう。また，強制的に加入することで，保険料といった財政運営が安定化する。

　しかし，私的保険（民間保険）は，「契約（任意）」に基づくため，保険会社が倒産したら，加入者は大きな損害を被る。ただ，保険料の設定も高いため，より良いサービスが提供でき，商品も多様化されている。

4．社会保険を学ぶポイント

1．社会保険の種類

　「社会保険」制度には，職域や職種などによって異なるものの，大きく「年金」「医療保険」「介護保険」「雇用保険」「労災保険」の5つの制度がある。いわば「社会保障」制度を理解するには，5つの「社会保険」制度をマスターすればいい。

　ただ，5つの制度を理解すると言っても，けっこう難しい。特に，年々，制度が変更されるから，毎年，その変更点を追っていかないと，2年後には，全く古い知識となってしまうかもしれない。

　その意味で，「社会保障」制度を理解する難解がここにある。だから，新聞などで，時々，関連記事を見ておく必要がある。

2．覚える基本用語

　「社会保険」制度を理解するうえで，共通して覚えるポイントがある。いくら5種類の制度があるといって，「保険」制度であることには変わりはない。だから，以下に述べるポイントに沿って勉強していけば，大枠は理解できるはずだ。

ア　保険者は？

必ず，「保険者」は何処なのかを理解しよう！「市町村」「国」「公的組織」など，5つの制度は，それぞれ異なるので，運営主体である保険者を認識しておくことは重要である。特に，医療保険などは，保険者が，いくつもあるので，その種類も把握しておくべきだ。もっとも，雇用保険や労災のように1制度一保険者しか存在しないものもある。

イ　被保険者及び被扶養者

保険者は，制度を運営している主体であるが，被保険者は，それに加入している人達である。つまり，保険料を支払って，もしもの時，サービスを受ける側を意味する。この対象者を，しっかりと把握しておくことが重要だ。

ただし，サラリーマン等が加入している医療保険（健康保険）では，「被扶養者」という概念がある（三親等内の親族）。被保険者は本人であるが，その家族も，病気になったときなど，保険サービスが受けられる。ただし，「被扶養者」の範囲は，被保険者の収入で，暮らしが成り立っていれば，必ずしも，被保険者と同居していなくてもいい（主に二親等内）。

たとえば，大学生がアパートを借りて親と別居していても，被扶養者となることができる。しかし，年収130万円を超えてしまうと，被扶養者になることはできない。だから，主婦の人は，年収130万円未満のパートしかせず，その金額を調整している。もし，130万円を超える学生や主婦がいたら，自分で医療保険に加入しなければならなくなる。ただし，60歳以上は，180万円未満である。

ウ　保険料は！

保険料の仕組みは，かなり複雑だが，社会保険を学ぶうえでは必要不可欠だ。しかも，その保険料が，「所得に応じて異なるのか」「全員一律なのか？」「課税世帯もしくは非課税世帯？」で，その計算式が異なる。保険料の算定の仕方は，難しいが，概略だけでも理解しておくべきだろう。しかも，その保険料は，誰が，どの程度，支払うかも制度によって異なるので，十分，理解しておこう！

エ　保険給付（金銭給付と現物給付？）

保険給付とは，サービス内容のことを意味する。大部分は現金給付（サービ

ス）だが，現物給付（サービス）の場合もある。しかも，自己負担額も，所得などに応じて異なるため，保険給付額と実際に利用する人が支払う額等（自己負担分）も把握する必要がある。

　なお，「年金」は金銭給付であるが，「医療」及び「介護」は，原則，現物給付である。また，生活保護制度は，現金給付であるものの，社会保険制ではない。

　このように「社会保険」か「社会福祉」？「現金給付か現物給付」？といった論点で，社会保障制度を勉強すれば，けっこう混乱しないで知識が身につくだろう。

　ただし，「社会保険」制度の中には，保険給付以外に，事業を実施している場合もある。雇用保険などは，職業訓練関連の事業などを設置しているので，保険給付以外の事業についても理解をしておこう。

3．保険料か税金か！

　「社会保険」は，主に税金と保険料（加入者からお金を集める）から賄われている。だから，保険料を払っていない人は，困った時にサービスを受けることができない。

　しかし，「社会福祉制度」は，主に税金で賄われているから，国民すべてが加入者といえなくもない。ある程度の条件にあてはまる人（困っている人）には，原則，サービスが提供される。つまり，「負担」や「義務」はないのだが，税金は国民が払支払っているため，間接的に負担しているともいえる。

　なお，「社会保障」に近い領域で，「社会政策」という学問がある。しかし，「社会政策」は，社会保障に加え，住居，教育，刑務所，下水道といった，あらゆる社会サービスも含まれるため，文字どおり「社会サービス」を意味する。そのため，社会保障制度は，社会政策の一部分と理解していいだろう。

5．医療と保健

1．社会保障費に占める医療費

　「医療」と「保健」については，詳しくは本書の第2章で述べるが，社会保障給付費に占めある医療費は2番目に高い割合となっている（図1−1）。「年金」「医療」「介護」といった順番は，必ず覚えておく必要がある。なお，「給付費」という意味は，患者などの自己負担を除いた額と理解してよい。また，社会保障給付費に占める財源は，「保険料」が「公費（租税）」を上回っていることも認識しておくべきだ。

2．医療保険の意義

　毎年，秋から冬にかけて風邪が流行すると，多くの学校などで学級閉鎖となることがある。とくに，2020年以降，新型コロナウイルス問題では，社会全体が大きな影響を受けている。大人から子どもまで，近くの診療者や病院へ行き，診察を受け薬局で薬をもらう。そして，ある程度，元気になるまで安静にしているか，やむなく仕事が休めずに，インフルエンザでなければ，辛いながらも仕事を続けた経験は，誰しもあるだろう！

　私たちが，何気なく医療機関へかかる際，持参する医療保険証は，非常に便利なものだ。時には，身分証明書にもなり，この保険証一枚あれば，全国の医療機関にアクセスすることもでき，その費用も3割で済む（原則，75歳以上は1割負担）。

　全国一律のため，「あの病院には，名医がいるから，自己負担額が4割になる！」といったことはない。逆に，「あそこは評判が悪い病院だから，2割負担で済む！」といったことにもならない。このように患者側に医療機関のフリーアクセス権が公正に認められているのは，日本の医療制度の大きな長所ともいえる。

　しかも，原則，この医療保険証は，日本に住所を有する人であれば，誰でもが持っていることになっている。つまり，国民誰でも，病気になれば，簡単に

図1−1　社会保障の給付と負担の現状

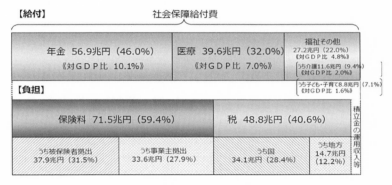

資料）内閣府『全世帯型社会保障検討会議基礎資料案』令和元年９月20日17頁より。

医療機関へアクセスすることができ，医療サービスを平等に享受できるのだ。通常，これらは「国民皆保険」制度と言われ，諸外国からも優れたシステムとして評価されている。

３．疾病予防の「保健」システム

　さて，みなさんは何歳まで生きられるかと，お考えだろうか？厚生労働省データによれば，2018年の日本人の平均寿命は女性が87.32歳，男性が81.25歳である。それに対して「健康寿命」は2016年で女性は74.79歳，男性は72.14歳と，平均寿命とのあいだに大きな差がある。つまり，いくら「平均寿命」が伸びたとしても，「健康寿命」との差が伸びてしまうと，医療・介護サービスなどの必要な時期が伸びるだけのことになる。

　人間が元気で過ごせる「健康寿命」は，未だ男女共に70歳代前半だ。再雇用などで65歳まで働くことが一般化しつつある現代社会において，引退後65歳から旅行・趣味・ボランティアといった老後を充分楽しめる時間は，個人差があるものの平均５〜８年となっている。人生100年時代と言われるが，未だ実際は75歳弱ぐらいまでともいえなくもない。実際，介護保険制度における要支援

及び要介護認定者率（何らかの介護が必要と認定される）を年齢別でみていくと75〜79歳までは1割程度だが，85歳を過ぎると5割程度となっている。

　老後の人生設計を考える場合，自分が「いつまで健康でいられるか？」を，想定しながら考えていかなければならない。いくら「平均寿命」が伸びたとしても，何らかの疾病や障害が伴い介護サービスが必要となれば，人の「生活の質」は低下してしまう。

　そのため，日々，「健康寿命」を延ばすために，運動や食生活に気を遣いながら，個人の健康管理に邁進していく社会が目指されるべきだ。また，自分の晩年には，必ずや医療・介護サービスは不可欠な時期が訪れる，といった認識も必要である。

　いわば，誰かの世話にならなければ，人生を全うできないということだ。よく「自分は，子供にも誰にも迷惑をかけずに，ピンピンコロリ（PPK）の人生を目指したい」と想定している人も多いと思う。確かに，医療技術の進歩によって社会は，人の「命」を延命することはできるようになった。急に体調を崩し救急車で運ばれても，「命」だけは助かるといったケースは増えている。

　その意味では，元気に生活できるために，「保健」というシステムがある。例えば，具体的には，「健康診断」「予防接種」「母子保健（乳幼児健診など）」「がん検診」などが挙げられる。

　『大辞林第三版』によれば，「公衆衛生」の語には「広く地域社会の人々の疾病を予防し，健康を保持・増進させるため，公私の諸組織によって組織的になされる衛生活動。母子保健・学校保健・成人保健・環境衛生・産業衛生・食品衛生・疫学活動・人口問題などを対象とする」[3]という解釈が与えられている。

6．社会構造の変化

1．少子化の影響

　そもそも，社会保障制度の機能は，一部，「企業」と「家族」が担ってきた。かつては，三世代家族が多く，在宅で老後を看ることも可能であった。年金が少なくても，子どもが面倒をみていた。また，終身雇用制度が一般的であれ

ば，「医療」「年金」といった社会保険制度の網からこぼれることもなく，曲がりなりにもその枠の中で，社会的弱者を救うことができていた。しかし，高齢化による家族機能が弱くなり，地域扶助組織も低下しているため，「扶助組織」の支援機能が効かなくなっている。

　これらの社会構造の典型的な例として，少子化が挙げられる。社会保障制度は，人々の助け合いであり，特に，世代間の所得再分配では，少子化が続けば，少ない現役世代で，多くの高齢者を支えなければならない。その意味では，少子化対策は社会保障制度においては，大きなテーマとなる。

　しかも，ここ数年，結婚しない男性が増えており，少子化の原因ともなっている。昔は女性のほうが男性よりも生涯未婚率が高かったが，現在では逆になっているのだ。読者の周りにも，一生結婚しない男女が少なくないのではないだろうか！

2．福祉国家の三類型

　「福祉国家」というフレーズを，よく耳にするだろうが，これは基本的な「市場経済」は認めながら，「国家」が国民の生活に責任を持つことを意味し，そのための政策を重要視する国と理解できる。社会学者であるデンマークのイエスタ・エスピン＝アンデルセンは，「福祉国家」を，以下のように大きく三つに分類した。

ア　自由主義型（アメリカなど）

　福祉部門等では，民間供給主体の役割を重要視し，民間保険等を柱に，ボランティアや家族の力を中心に福祉施策を展開させる。どちらかといえば，国は「市場」と「家族等」の調整・役割に重きを置き，非営利団体・民間保険会社への補助金・税優遇措置等の施策を優先させる。特に，自己責任の考えが強く，その反面，税率が比較的低くなる。しかし，低所得者層に対する給付は，最低限しかなされない「低福祉低負担」と理解できるだろう。

イ　保守主義型（ドイツ，フランスなど）

　ヨーロッパに多く見られるのだが，「家族」「教会」「ボランティア団体」「労働組合」などの組織が重要視され，その上で，国家の社会保障制度の関与が求め

られる。しかし，自由主義型より，国家の関与は深くなり，社会保障制度への予算配分も，かなり国家財政の中で高くなり，いわゆる「中福祉中負担」と理解できる。

ウ　社会民主主義型（デンマーク，スウェーデンなど）

社会民主主義型の「福祉国家」は，誰もが知る，典型的な福祉国家像である。「普遍主義」に基づいて，全ての市民が，一定の社会保障サービスが受けられる。特に，女性の労働参加率が高く，両親が働くことが一般化されている。そのため，保育園といった児童福祉も充実しているが，税金をはじめとする国民負担率は高く，消費税は20％を超える。いわば，「高福祉高負担」の国家である。

このように福祉・社会保険・保険といった制度論は，読者の中には，複雑化していて苦手だとの印象を抱く人も多いだろう。しかし，基本には「社会保険制度」を抑え，併せて「福祉・保健」との違いを理解していけば，さほど難しいものではない。

（淑徳大学総合福祉学部教授）

注

1）社会保障制度審議会「社会保障制度に関する勧告」1950年10月16日.
2）社会保障制度審議会「社会保障制度に関する勧告」1950年10月16日.
3）松村明編『大辞林第三版』2006年10月.

第2章　医療保険と保健について

河村　秋

1．医療保険

　本章では，第1章で示されている社会保障制度の3分類のうち，社会保険の中でも医療保険，そして保健サービスに焦点を当ててみたい。

　他の社会保障と並べて見るとこれらは，年齢，雇用の有無，障害の有無にかかわらず多くの方が対象となる社会保障であるといえるだろう。

　ここでいう医療保険は，社会保障としてのもので民間保険のものではないことを確認しておきたい。

1．日本の医療保険制度の変遷

　日本における医療保険制度としては，1905（明治38）年に，鐘紡，八幡製鉄所が共済組合を設立したのが最初となる[1]。いわゆる職域保険（事業所に雇われている被用者が対象となる）である。1922（大正11）年，健康保険法が制定されたが，これも対象は被用者本人のみである[2]。被用者以外にも対象者を広げるために，1938（昭和13）年に旧国民健康保険法が制定されたが，零細企業の労働者，農業・水産業従事者，自営業者などが制度の適用にならないことや，国民健康保険を設立している市町村としていない市町村があるなどの問題があった。

　そこで1958（昭和33）年に，全市町村に国民健康保険の実施を義務付けることや国からの助成の拡大などを定めた新国民健康保険法が制定され，1961（昭和36）年から国民皆保険の体制が始まった[3][4]。

2．国民皆保険制度

　国民皆保険ということで，国民全員が公的医療保険で補償されていること，医療機関を自由に選べること，低率な自己負担で高度な医療を受けられること，保険制度として保険料の徴収が行われるが，その維持のために公費が使われていることが日本の医療制度の特徴である。

3．国保と保険組合，けんぽ，共済

　国民健康保険（国民健康保険法），いわゆる市町村国保の対象者は，自営業の方，農業・漁業に従事している方，パート，アルバイトなどで，職場の健康保険に加入していない方，退職して職場の健康保険をやめた方，3か月を超える在留資格が決定された住所を有する外国籍の方などである[5]。

　さらに，国民健康保険には国保組合も含まれている。市町村国保は，市町村が医療保険者であるが，医師，歯科医師，薬剤師，建設業などの業種の組合がある。

　いっぽう，健康保険組合，協会けんぽ，共済組合は，健康保険法に基づくものである。健康保険組合は，大企業が保険者となって運営するもので，自ら健康保険組合を作らない中小企業の場合は，従業員は協会けんぽの被保険者となる。そして，公務員などが加入する共済組合がある。

4．後期高齢者医療制度

　さらに，第1章でも述べられているが，2008（平成20）年度より開始された後期高齢者医療制度がある。75歳以上の方（寝たきりの場合は65歳以上）が加入する医療保険制度で，運営は広域連合が行う。

　従来は，75歳以上の高齢者は，市町村が運営する老人保健制度の対象となった。そして，健康保険組合，協会けんぽ，共済組合の退職者（加入期間が20年以上）については，退職して市町村国保に移った後でも，老人保健制度が適用になる年齢までは，被用者保険の制度（退職者医療制度）の対象となっていた。

　しかし，高齢化がすすみ，老人医療費が増大していく中で，老人保健制度による市町村や被用者保険者の負担，退職者医療制度による被用者保険者の負担

の大きさや現役世代との負担の割合が不明確であったことなどから，後期高齢者医療制度が開始された[6]。

5．何が給付されるのか

　医療保険制度による給付の内容を表2−1に示そう。

　医療給付のうち，未就学児が2割負担，就学以降70歳未満までは，3割負担，70〜75歳未満は2割負担（現役並み所得者は3割），75歳以降は1割負担（現役並み所得者は3割負担）で療養が給付される。つまり健康保険証を保持していれば，窓口では多くとも3割の負担で医療が受けられることになっている。

　さらに，入院時の食事療養費（所得により一日100〜460円の負担），入院時生活療養費（65歳以上で療養病床に入院する場合）が給付される。

表2−1　公的医療保険の給付内容

	給付	国民健康保険・後期高齢者医療制度	健康保険・共済制度
医療給付	療養の給付 訪問看護療養費	義務教育就学前：8割，義務教育就学後から70歳未満：7割， 70歳以上75歳未満：8割（現役並み所得者（現役世代の平均的な課税所得（年145万円）以上の課税所得を有する者）：7割） 75歳以上：9割（現役並み所得者：7割）	
	入院時食事療養費	食事療養標準負担額：一食につき460円	低所得者：　　　　　　　　　　　　　　　　　　一食につき210円 （低所得者で90日を超える入院：　　　　　　　一食につき160円） 特に所得の低い低所得者（70歳以上）：　　　　一食につき100円
	入院時生活療養費 （65歳〜）	生活療養標準負担額：一食につき460円（＊）＋370円（居住費） （＊）入院時生活療養費（Ⅱ）を算定する保険医療機関では420円	低所得者：　　　　　　　　　　一食につき210円（食費）＋370円（居住費） 特に所得の低い低所得者：　　　一食につき130円（食費）＋370円（居住費） 老齢福祉年金受給者：　　　　　一食につき100円（食費）＋0円（居住費） 注：難病等の患者の負担は食事療養標準負担額と同額
	高額療養費 （自己負担限度額）	70歳未満の者（括弧内の額は，4ヶ月目以降の多数該当） ＜年収約1,160万円〜＞ 　252,600円＋（医療費−842,000）×1％　　（140,100円） ＜年収約770〜約1,160万円＞ 　167,400円＋（医療費−558,000）×1％　　（93,000円） ＜年収約370〜約770万円＞ 　80,100円＋（医療費−267,000）×1％　　（44,400円） ＜〜年収約370万円＞　　57,600円　　　　（44,400円） ＜住民税非課税＞　　　　35,400円　　　　（24,600円）	70歳以上の者（括弧内の額は，4ヶ月目以降の多数該当） 　　　　　　　入院　　　　　　　　　外来［個人ごと］ ＜年収約1,160万円〜＞ 　252,600円＋（医療費−842,000）×1％　（140,100円） ＜年収約770〜約1,160万円＞ 　167,400円＋（医療費−558,000）×1％　（93,000円） ＜年収約370〜約770万円＞ 　80,100円＋（医療費−267,000）×1％　（44,400円） ＜一般＞　　　　　57,600円　　　　　　　　　18,000円 　　　　　　　　（44,400円）　　　　　［年間上限14,000円］ ＜低所得者＞　　　24,600円　　　　　　　　　8,000円 ＜低所得者のうち特に所得の低い者＞15,000円　8,000円
現金給付	出産育児一時金 （※1）	被保険者又はその被扶養者が出産した場合，原則42万円を支給	被保険者又はその被扶養者が出産した場合，原則42万円を支給。国民健康保険では，支給額は，条例又は規約の定めるところによる（多くの保険者で原則42万円）
	埋葬料（※2）	被保険者又はその被扶養者が死亡した場合，健康保険・共済組合においては埋葬料を定額5万円支給。また，国民健康保険，後期高齢者医療制度においては，条例又は規約の定める額を支給（ほとんどの市町村，後期高齢者医療広域連合で実施。1〜5万円程度が多い）	
	傷病手当金	任意給付 （実施している市町村， 後期高齢者医療広域連合はない。）	被保険者が業務外の事由による療養のため労務不能となった場合，その期間中，最長月1年6ヶ月，1日に付き直近12ヶ月の標準報酬月額を平均した額の30分の1に相当する額の3分の2に相当する金額を支給
	出産手当金		被保険者本人の出産日以前42日から出産日後56日までの間，1日に付き直近12ヶ月の標準報酬月額を平均した額の30分の1に相当する額の3分の2に相当する金額

※1　後期高齢者医療制度では出産に対する給付がない。また，健康保険の被扶養者については，家族出産育児一時金の名称で給付される。共済制度では出産費，家族出産費の名称で給付。
※2　被扶養者については，家族埋葬料の名称で給付，国民健康保険・後期高齢者医療制度では葬祭費の名称で給付。

資料）厚生労働省HPより抜粋。https://www.mhlw.go.jp/stf/seisakunitsuite/bunya/kenkou_iryou/iryouhoken/iryouhoken01/index.html。

次に，現金給付として，出産育児一時金（多くの保険者で42万円），埋葬料（1〜5万円）の給付がある。さらに，国民健康保険，後期高齢者医療制度では任意となるが，他の保険組合や共済制度では，傷病手当金，出産手当金の給付がある。

6．被保険者・保険者が支払う保険料，公費負担

　医療給付を受けるためには，保険料の支払いが必要である。表2－2に各保険者の比較を示そう。

7．無保険者の問題

　しかし，近年の貧困率の上昇などから，無保険世帯，保険証をもたない方も問題となっている。生活保護を受給している場合は，医療扶助として医療サービスや調剤の給付を受けられる。しかし，生活保護やその他の減免制度の利用につながらず，保険料の支払いができずに保険料滞納者となり，「無保険者」となるケースである[7]。国民健康保険の滞納世帯数は，245.0万世帯（2019年）であり，全世帯の13.7％を占めている[8]。保険料を滞納している場合，医療費の受給をうけるためには，「短期被保険者証」を発行してもらう。短期被保険者証を窓口で提示すれば3割負担にて受診ができる。滞納が1年以上になると「被保険者資格証明書」が交付され，医療機関での支払いが全額自己負担となる。通常の保険証に戻してもらうには，滞納している保険料を支払う必要がある[9]。

8．諸外国の制度について

　最初に，日本にとって近隣のアジア諸国の医療保障について見てみよう。
　中国では，1980年代から「全民医療保障」を目標として，医療保障制度の改革が行われている。都市部の企業や公的機関の被用者が加入する「都市従業員基本医療保険」，農民の世帯単位での任意加入である「新型農村合作医療保険」，小中学校，専門学校等の学生，児童が任意加入となる「都市住民基本医療保険」がある。都市部と農村部で別の社会制度が実施されてきており，現在

表2－2　各保険者の比較

	市町村国保	協会けんぽ	組合健保	共済組合	後期高齢者医療制度
保険者数 （平成30年3月末）	1,716	1	1,394	85	47
加入者数 （平成30年3月末）	2,870万人 （1,816万世帯）	3,893万人 被保険者 2,320万人 被扶養者 1,573万人	2,948万人 被保険者1,649万人 被扶養者1,299万人	865万人 被保険者453万人 被扶養者411万人	1,722万人
加入者平均年齢 （平成29年度）	52.9歳	37.5歳	34.9歳	33.0歳	82.4歳
65～74歳の割合 （平成29年度）	41.9%	7.2%	3.2%	1.5%	1.9%（＊1）
加入者一人当たり医療費 （平成29年度）	36.3万円	17.8万円	15.8万円	16.0万円	94.5万円
加入者一人当たり平均所得（＊2） （平成29年度）	86万円 （1世帯当たり） 136万円	151万円 （1世帯当たり（＊3） 254万円	218万円 （1世帯当たり（＊3） 388万円	242万円 （1世帯当たり（＊3） 460万円	84万円
加入者一人当たり平均保険料 （平成29年度）（＊4） 〈事業主負担込〉	8.7万円 （1世帯当たり） 13.9万円	11.4万円 〈22.8万円〉 （1世帯当たり） 19.1万円 〈38.3万円〉）	12.7万円 〈27.8万円〉 （1世帯当たり） 22.7万円 〈49.7万円〉）	14.2万円 〈28.4万円〉 （1世帯当たり） 27.1万円 〈54.1万円〉）	7.0万円
保険料負担率	10.2%	7.5%	5.8%	5.9%	8.4%
公費負担	給付費等の50% ＋保険料軽減等	給付費等の16.4%	後期高齢者支援金等の負担が重い保険者等への補助	なし	給付費等の50% ＋保険料軽減等
公費負担額（＊5） （令和元年予算ベース）	4兆4,156億円 （国3兆1,907億円）	1兆2,010億円 （全額国費）	739億円 （全額国費）		8兆2,300億円 （国5兆2,736億円）

資料）厚生労働省「我が国の医療保険について」。
　　　https://www.mhlw.go.jp/content/12400000/000591715.pdfより抜粋
＊1　一定の障害の状態にある旨の広域連合の指定を受けた者の割合
＊2　市町村国保及び後期高齢者医療制度については、「総所得金額（収入総額から必要経費、給与所得控除、公的年金等控除を差し引いたもの、及び山林所得金額に雑損失の繰り越し控除額と分離譲渡所得金額を加えたものを年度平均加入者数で除したもの。（市町村国保は「国民健康保険実態調査」、後期高齢者医療制度は「後期高齢者医療制度被保険者実態調査」のそれぞれ前年所得を使用している。協会けんぽ、組合健保、共済組合については、「標準報酬総額」から「給与所得控除に相当する額」を除いたものを、年度加入者数で除した参考値である。
＊3　被保険者一人当たりの金額を指す。
＊4　加入者一人当たり保険料額は、市町村国保、後期高齢者医療制度は現年分保険料、被用者保険は決算における保険料額を基に推計。保険料額に介護分は含まない。
＊5　介護納付金、特定健康診査・特定保健指導等に対する負担金－補助金は含まれていない。

も農民にとって不利となる制度が続いているようだ。

　韓国は1997年，台湾では1995年からと，近年になって全国民対象の医療保険
制度が始められている。韓国の「国民健康保険」では，入院費用の自己負担は
２割が原則であるが，外来診療については，病院の種類と地域によって3.5割
〜６割と差がある。台湾の「全民健康保険」は，第１類「公務員，民間企業な
ど，職業軍人」から第６類まで「農民・漁民」，「兵役従事者・受刑者」「社会救
助適用者」などに対象者を分類し，その分類ごとに保険料の負担割合（被保険
者，勤務先，政府）が異なる。外来受診の自己負担は定額となっている[10]。

　次に，欧米諸国を見てみよう。

　ドイツは，1883年にビスマルクにより疾病保険法（日本の医療保険にあたる）
が制定された社会保障の発祥の国である。2007年に公的医療保険競争強化法が
制定され，国民皆保険体制となっている。年金受給者や学生，著述家など公的
医療保険への加入義務がある者とその家族は公的医療保険で，それ以外は公的
医療保険か民間医療保険を選択することができる[11]。

　フランスもドイツ同様に社会保険制度であるが，職域ごとの医療保険への強
制加入の制度と対象外の人は普遍的医療保障制度により皆保険の制度となって
いる。受診においてかかりつけ医の紹介を受けないと他の医師の診察は受けら
れない。

　スウェーデンは，全国民対象の税方式で，医療は公営サービスである。年間
の自己負担額の上限が決められており（外来診療で約１万円）それ以上は無料
となる。同じく税方式のイギリスは，NHS（国民医療制度）により，原則無
料で医療が提供される。財源の８割を税金，２割を国民保険と受益者負担で賄
っている。登録医師の紹介を受けないと病院での受診はできない[12][13]。

　アメリカは，公的医療保険として，高齢者，障害者対象のメディケア，低所
得者層の児童対象のCHIP（Children's Health Insurance Program），低所得者対
象の医療扶助であるメディケイドがある。それ以外は民間保険へ任意加入する
こととされている。国民の17％にあたる4570万人という無保険者の存在（2008
年時点）などの問題に対して，2010年「医療保険改革法」が成立した。それに
より全国民が最低限の医療保険への加入を義務づけられ，メディケアの対象者

拡大や税額控除などの制度により，2千万人が医療保険に加入できたという。しかし，保険料の高騰，保険会社の負担の上昇などから問題は山積している[14]。

2．保健サービス

健康とは「病気でないとか，弱っていないということではなく，肉体的にも，精神的にも，そして社会的にも，すべてが満たされた状態にあること」という定義（WHO 1946年）は広く知られている[15]。

保健サービスは，住民の健康の保持増進を目的としたサービスである。日本においては，1978年アルマ・アタ宣言で提唱された「プライマリヘルスケア」，1986年「オタワ憲章」で提唱された「ヘルスプロモーション」の理念などに基づいた健康日本21（第2次）という国民の健康づくり対策に沿って提供されている[16]。

疾病の有無にかかわらず，身体的，精神的，社会的にも質の高い生活を目指すという視点から幅広い対象へ向けたサービスである。

図2−1　ライフサイクルごとに提供される保健サービス

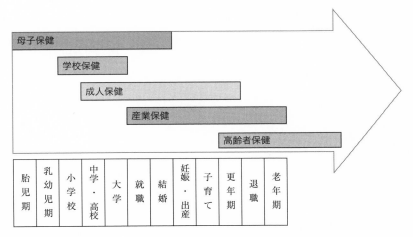

資料）筆者作成。

図2－1に示すように生まれる前から高齢期にいたるまで生涯を通じて保健サービスが提供される。

３．母子保健サービス（思春期〜妊娠前後，出産，育児期）

１．日本の母子保健の歴史

　乳児死亡率（生後１年未満の死亡）は，その国の衛生環境や栄養状態と関わっている。大正時代，日本の乳児死亡率（人口千対）は180，出生した子ども1000人のうち180人が１歳になる前に死亡していたことになる。この死亡率の高さを重く見た国は，「保健衛生調査会」を設立し，死亡率の調査・対策に取り組んだ。小児健康相談所から保健婦（現在の保健師）が家庭訪問し，妊産婦や小児の生活指導・疾病予防を行った。農山漁村などでは特に衛生状態も悪く，食品衛生，手洗いの必要性などの知識も不十分であった。1936（昭和11）年から恩賜財団愛育会では，農山漁村での衛生指導やお産のための物品の貸し出しなどを行った。1937（昭和12）年に保健所法が制定され，乳幼児一斉健康診査の実施，妊産婦手帳制度が始められ，妊娠の届け出と妊婦健診が奨励された。

　1961（昭和36）年から，新生児訪問指導，３歳児健康診査が全国で開始され，同時に国民皆保険制度により，それまでの不十分な環境での出産から施設での出産が主流となっていった[17]。このような取り組みから現在では日本の乳児死亡率は世界でもトップクラスの低さとなっている。

２．現在の母子保健サービス

　近年の母子保健の課題として，少子化，産後うつ，育児の孤立化，低体重での出生，児童虐待などが問題となっている。そのような課題に対して，母子保健サービスが提供されている（図2－2）。妊娠期から子育て期まで，母親が安心して相談でき支援を受けられるような切れ目のない支援の提供のために，「子育て世代包括支援センター」の全国展開が目指されており，2020年４月時点で1,288市区町村，2,052箇所で設置されている[18]。

①　母子健康手帳：妊娠中の母親の身体の状況，保健指導の内容，出生時の状況，乳幼児健診の結果，予防接種の記録，子どもの発育記録の他に，子育てに関する情報なども記載されている。母子健康手帳の交付は，母子への支援のスタート地点となる貴重な機会であるため，多くの市町村では，交付時に保健師・助産師などの専門職者が面接を行い，保健サービスの紹介や必要な支援への連携を行っている。

②　妊婦健診・妊婦訪問：周産期死亡（妊娠22週以降の胎児死亡あるいは，出生後1週間未満での子どもの死亡），異常な出産，低体重児（体重2500g未満）出生などの予防のために行われる。問診，血液検査，超音波検査などが妊娠週数に応じて行われ，必要な保健指導が行われる。妊娠期間を通じて14回程度の健診受診の助成が行われている。さらに，支援が必要な妊婦に対しては，専門職者による家庭訪問指導が実施される。

③　母親学級・両親学級：妊娠中の過ごし方，出産の準備，育児知識，育児技術（沐浴演習など）についての保健指導が行われる。市区町村の他に，産院や医療機関でも実施されている。妊娠中からの友達作りの場ともなっている。

④　産前・産後サポート事業，産後ケア事業：産前・産後サポート事業は，母子保健推進員や子育て経験者，母子保健に関する専門職者などが家庭訪問（アウトリーチ型），保健センター（デイサービス型）において，妊産婦や家族の相談支援を行う。

　産後ケア事業は，産後に家族のサポートが十分に受けられない，心身に不安を抱えている母親などに対して，その後の健やかな育児ができるよう支援することを目的としている[19]。

⑤　産婦健診：産後うつ，新生児への虐待予防などの目的から，産後2週間，産後1か月における健康診査の費用の助成が行われる。

⑥　新生児訪問・乳児家庭全戸訪問：保健師・助産師等による新生児（生後28日以内）のいる家庭への訪問指導，生後4か月までの乳児のいる家庭への子育て経験者，保健推進員などによる全ての家庭への訪問が実施される。

⑦　乳幼児健康診査・健康相談：1歳6か月児，3歳児健康診査が必ず実施される。乳幼児の発育発達状態の確認，保健指導，必要な親子に対してはその後

図2−2　厚生労働省子ども保健局母子家庭課

妊娠・出産等に係る支援体制の概要

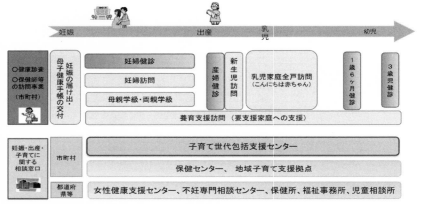

1）妊婦健診費用については，全市町村において14回分を公費助成。
2）また，出産費用については，医療保険から出産育児一時金として原則42万円を支給。
資料）「最近の母子保健行政の動向」より抜粋。https://www.mhlw.go.jp/content/11920000/000485784.pdf.

に親子教室，療育指導などにつないでいく。市町村により他の月齢，年齢への
健診や健康相談も実施されている。

⑧　養育支援訪問：10代の妊婦，子育てに対して強い不安や孤立感を抱える家
庭，虐待のおそれやリスクを抱え支援が必要な家庭に対して，保健師，助産師，
保育士などが継続訪問支援を行う。

⑨　予防接種：乳幼児期に免疫をつけておくことが望ましい，あるいは集団の
流行を予防することが必要な疾患について実施される。かかった時に重症化し
たり社会的に感染拡大を防ぐ必要があるものは定期接種（麻疹，風疹，結核，
破傷風，水痘，ロタウイルスなど13種類以上　2020年10［1］月現在）として
市町村の助成により接種できる。それ以外に任意接種のもの（おたふくかぜな
ど）については基本的に自己負担となる。

⑩　低出生体重児の届け出と訪問指導・未熟児養育医療：2,500g未満の低出生
体重児の出生については市町村に届け出を出し，必要時訪問指導を受ける。
2,000g未満で出生の未熟児や呼吸器系や消化器系などの異常があり生活力が薄

図2－3　主な死因別にみた死亡率の年次推移－

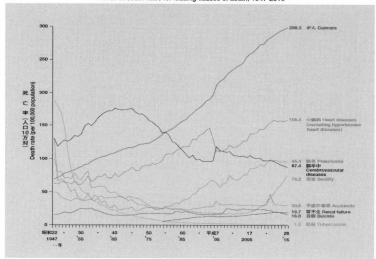

主な死因別にみた死亡率の年次推移―昭和22～平成28年―
Trends in death rates for leading causes of death, 1947-2016

資料）昭和22年～平成28年－平成30年我が国の人口動態　平成28年までの動向より著者抜粋。
https://www.mhlw.go.jp/toukei/list/dl/81-1a2.pdf.

弱な乳児を対象に未熟児養育医療として医療費の公費による負担が行われる。

4．成人・高齢者保健（成人～高齢期）

　日本における成人保健サービスは，ヘルスプロモーションの理念をもとにした健康日本21（第2次　国民健康づくり運動2013年～2022年の10年計画）として目標値をあげ，保健事業などが行われている。

1．疾病の構造の変化と高齢化の進行

　日本における疾病構造は，図2－3のように，結核や肺炎といった感染症が多くを占めていた昭和初期から変化して，現代では，がん，心疾患などの生活習慣病といわれる疾患が死因の上位を占めている。
　食習慣の欧米化，交通機関やICT（情報通信技術）の発達による運動不足，

喫煙や飲酒の習慣，睡眠不足などの生活習慣が生活習慣病に関連しており，対策が必要となっている。加えて，年代別死亡率で見ると15〜39歳では，自殺が１位となっており，心の健康についての対策も重要である。

　日本の高齢者人口は，3617万人と人口の28.7％（2020年９月時点）を占め，平均寿命は男性81.41歳，女性87.45歳（2019年）となっており世界でも有数の長寿大国である[20) 21)]。高齢者がいかに長く健康に過ごせるかは，生活の質，介護医療費の負担軽減にも関係しており，健康寿命の延伸のための介護予防も大切な課題である。

２．生活習慣病予防，介護予防に向けた保健サービス

①　特定健康診査・特定保健指導：いわゆるメタボ健診といわれるものだが，40歳〜74歳の方とその家族（扶養者）を対象に，加入している医療保険者が実施する。生活習慣の問診と身体計測，血糖・脂質・血圧などの検査を行い，その結果から生活習慣病につながるリスクが高い方には，特定保健指導を実施する。生活習慣病の発症や重症化を予防することを目的としている。

②　がん検診：死亡原因の１位を占める（図２−３参照）がんの早期発見・治療のために市町村が実施しており（努力義務），ほとんどの市町村が公費負担しているため胃がん，子宮頸がん，肺がん，乳がん，大腸がんの検査を一部自己負担のみで受診できる[22)]。

③　歯周疾患検診：歯の健康，噛む・呑み込むなどの機能の維持は，食生活，社会生活のみでなく全身の健康に影響を及ぼすが，40歳以降に歯を失う大きな原因が歯周病である。その予防のために40，50，60，70歳の節目に個別，集団で実施する。

④　骨粗鬆症検診：高齢者の骨折は要介護状態につながりやすい。その原因となる骨粗鬆症予防のために行われる。対象は40〜70歳の女性で５歳刻みに設定されている。

⑤　肝炎ウイルス検査：肝炎は放置しておくと肝硬変や肝臓がんに移行してしまう可能性がある。40歳，または41歳以上の希望者に対して肝炎ウイルスの検査が行われている。

⑥　健康手帳の配布：40歳以上の方が対象。特定健診診査・特定保健指導の結果などを記入し，健康管理と適切な医療の確保につなげる。

⑦　訪問指導：40〜64歳の方を対象に，療養上の保健指導が必要な方に，保健師などが訪問指導を行う。

⑧　健康教育・健康相談：40〜64歳の方を対象に，心身の健康についての自覚を高め，かつ，心身の健康に関する知識の指導及び教育や相談が行われている。

⑨　機能訓練：40〜64歳の方を対象に，疾病，負傷等により心身の機能が低下している者に対し，その維持回復を図り，日常生活の自立を助けるために行われる訓練をいう。

　②〜⑨は市町村が実施主体となっている。

5．学校保健（幼稚園から大学，高等専門学校生）

　幼稚園から小中学校，義務教育学校，高等学校，中等教育学校，特別支援学校，大学及び高等専門学校に在籍する児童や生徒が学校保健の対象となる。

1．学校保健の歴史

　日本の学校保健は，1872（明治5）年の学制とともに始まり，痘瘡，コレラ等の感染症の拡大予防，環境衛生，子どもの健康管理について取り組まれていた。第2次世界大戦後，1947（昭和22）年にGHQ（連合国軍最高司令部）の指導により，それまでの管理，治療が主であったものから，生徒・児童自身の保健行動が取れるように，教育的な方向に転換された。1958（昭和33）年に学校保健管理の総合法として学校保健法が制定され，その後2001（平成13）年に大阪教育大学附属池田小学校児童殺傷事件をきっかけに，学校の安全対策を求める声が高まり2008（平成20）年に学校保健安全法と改正された[23]。

2．学校保健における課題と学校保健活動[24]

　幼児期から学童期，思春期，青年期においても，ICTの発達によるスマホ依存，生活習慣の乱れや視力の低下，交通機関の発達などによる運動不足，肥満

傾向児などが問題となっている。また，いじめや不登校，自殺といった問題，性の問題行動や薬物乱用などの問題も学年段階により起こってくる。加えて，子どもの虐待については，学校保健においても予防や発見，保護者や関係機関との連携など重要な関わりが求められている。

　近年は，医療的ケア児（喀痰の吸引や経管栄養などを必要とする児童生徒等）が小中学校に通うことも可能になり，学校でケアを受けられるような環境づくりも求められている。

　学校において保健サービスを提供するのは，養護教諭，学校医，学校歯科医，学校薬剤師のみでなく，学級担任などの教員も含まれる。また，対象としては児童・生徒のみでなく，学校職員の健康の保持増進も行われている。

①　健康観察，健康相談：学級担任や養護教諭により呼名や健康カードなどを用いて健康観察が行われている。健康相談は，相談を希望する児童生徒のみでなく，健康診断の結果などから必要な場合に行われ，適宜保健指導を行っていく。

②　健康診断：定期健康診断は，身長・体重，栄養状態，歯，視力，聴力，疾病の有無などを検査し，必要時は保健指導や医療機関への受診勧奨などを行う。毎年6月30日までに実施することになっており，その結果（抽出データ）は，1900（明治33）年から学校保健統計のデータとして蓄積されている。

③　就学時健康診断：小学校入学前年度の児童を対象に健康診断を行う。児童生徒の健康診断とほぼ同様（身長・体重測定はなし）の検査を行うが，知的発達の遅れや発達障害の問題についても見ていく。結果により，特別支援学級や特別支援学校への就学についても検討される。

④　慢性疾患やアレルギー疾患を持つ児童生徒の保健管理：心臓疾患や糖尿病，腎臓疾患，アレルギー疾患を持つ児童生徒については，可能な運動の種類や程度，学校行事への参加の可否，注意事項，アレルギーであれば除去するべき食物や緊急時の処方薬などを学校生活管理指導表として主治医が記載したものをもとに保健管理を行う。

⑤　感染予防：学校は集団生活の場でもあり，感染症の流行や拡大の予防のために，感染症により出席停止の期間の基準が定められ，また必要な場合は学校

の設置者（市町村の教育委員会など）は臨時休業を行う。

⑥　学校においては，①～⑤のような保健活動以外に，児童・生徒自身が保健行動をとれるような教育（保健体育やホームルームなどでの指導）が行われている。

6. 産業保健（労働者と家族，退職者）

　産業保健は，労働者とその家族，退職者を対象としており，労働者の健康の保持・増進，健康障害や疾病の予防を行うとともに生産性の向上も目指すものである。

1. 日本の産業保健の歴史

　明治時代の日本では，資本主義国家を目指して，製糸業・紡績業などの軽工業，製鉄業などの重工業が発展していった。いっぽうで，鉱山等における劣悪な環境での坑内労働，製紙工場での女工の酷使，結核などの感染症の流行などが問題視されるようになった。

　1911（明治44）年に，就業時間，女性や年少者の有害作業の禁止，産後5週間の就業禁止などを定めた工場法が制定された。しかし，産業界の停滞の時期であったため実施は1916（大正5）年となった[25]。第二次世界大戦終戦後，1947（昭和22）年に労働基準法が施行され，賃金，休憩時間，休日，災害補償等の基準が示された。

　高度経済成長期の化学工業の発展とともに炭坑や化学工場における一酸化炭素中毒，有機溶剤による中毒，化学染料による膀胱がんの発生などが問題となっていた。1972（昭和47）年に労働者の安全衛生に関する労働安全衛生法が制定された[26]。

2. 現代の産業保健

　日本において，労働時間（年間総実労働時間）は，1996（平成8）年以降減少傾向にはあるが，諸外国の中では韓国，アメリカに次ぐ長さであり，過重労

働についてはまだなお改善が必要である。

　また，自殺者総数のうち，勤務問題が原因・動機とされるものが9.7％（2019年）を占めており[27]，メンタルヘルス対策や労働環境，労働時間の改善なども求められる。

　事業者は，労働者の安全と健康確保，作業環境の調整，労働災害への対策をとらなければならない。

①　健康診断：事業者は，常時使用する労働者に，一般健康診断として雇い入れ時健康診断，１年に１回の定期健康診断，その他，特定業務従事者，海外派遣労働者の健康診断，給食従業員の検便を行うこととなっている。

②　特殊健康診断：有害な業務（粉じん作業，鉛，ガソリン，有機溶剤などの取り扱い作業者，高圧作業，放射線物質取り扱いなど）に従事する労働者は健康障害を起こすリスクが高いため，それぞれ実施時期を定められ健康診断が行われている。

③　健康診断結果の通知と措置：事業者は健康診断の結果を通知し，必要な保健指導（医師・保健師），就業上の措置（場所の変更，労働時間の短縮など），作業環境や方法の変更などの措置を行わなければならない。

④　特定健康診査・特定保健指導：　成人高齢者保健の項（２）①に同じ。

⑤　長時間労働者への面接指導：月に100時間を超える時間外・休日労働や疲労の蓄積がみられるものには，医師が面接指導をし，必要な措置（場所の変更，労働時間の短縮など）を行う。

⑥　ストレスチェック制度：１年に１回ストレスチェックテストを実施し，その結果の通知と，必要な者への面接指導・措置を行う。

⑦　健康管理手帳の交付：粉じん作業，有機溶剤などで発がんの可能性の高い物質に携わる作業に一定期間従事していた場合，健康管理手帳を配布し，退職後に定期的な健康診断を受けられるようにしている。

（和洋女子大学看護学部准教授）

参考文献

1) 健康保険組合連合会．（2017）．『図表で見る医療保障』平成29年度版．ぎょうせい．

2) 厚生労働省ホームページ．「平成26年版厚生労働白書」．
   参照先　https://www.mhlw.go.jp/wp/hakusyo/kousei/14/dl/ 1 -01.pdf

3) 厚生労働省ホームページ．「我が国の医療保険について」．
   参照先：https://www.mhlw.go.jp/content/12400000/000591715.pdf

4) 『厚生白書』（昭和31年版）．参照先：
   https://www.mhlw.go.jp/toukei_hakusho/hakusho/kousei/1956/dl/04.pdf

5) 公益社団法人　国民健康保険中央会ホームページ．『国民健康保険（国保）のしくみ』．参照先：https://www.kokuho.or.jp/summary/national_health_insurance.html

6) 厚生労働省ホームページ．「後期高齢者医療制度について」：参照先：
   https://www.mhlw.go.jp/bunya/shakaihosho/iryouseido01/info02d-35.html

7) 阿部彩．（2008）．「格差・貧困と公的医療保険：新しい保険料設定のマイクロ・シミュレーション」．『季刊社会保障研究』44（3）．

8) 厚生労働省ホームページ．（令和2年7月22日）．「平成30年度国民健康保険（市町村）の財政状況について」．

9) 厚生労働省ホームページ．（2008年10月30日）．『「資格証明書の発行等に関する調査」の結果等について』．
   参照先：https://www.mhlw.go.jp/houdou/2008/10/dl/h1030- 2 a_0001.pdf.

10) 増田雅暢，金貞任．（2015）．『アジアの社会保障』．法律文化社．

11) ニッセイ基礎研究所保険研究部 常務取締役 研究理事 兼 ヘルスケアリサーチセンター長中村亮一，「ドイツの医療保険制度（1）－被保険者による保険者選択権の自由化により，保険者の集約化が進む公的医療保険制度の現状－」：参照先：https://www.nli-research.co.jp/report/detail/id=52514?site=nli

12) 前掲1）．

13) 厚生労働省ホームページ，「医療保障制度に関する国際関係資料について」．
   参照先：https://www.mhlw.go.jp/content/12400000/000592506.pdf.

14) 長谷川千春．（2010）．「アメリカの医療保障システム－雇用主提供医療保険の空洞化とオバマ医療保険改革」－．海外社会保障研究，16-32.

15) 公益社団法人日本WHO協会，「健康とは」．
   参照先：https://japan-who.or.jp/about/who-what/identification-health/.

16) 厚生労働省ホームページ，「健康日本21（総論）」.
参照先：https://www.mhlw.go.jp/www1/topics/kenko21_11/s0.html#A1.

17) 独立行政法人　国際協力機構　国際協力総合研修所．（2004）．日本の保健医療の経験　途上国の保健医療改善を考える．

18) 厚生労働省子ども保健局母子保健課．（2019年2月），「最近の母子保健行政の動向」：
参照先：https://www.mhlw.go.jp/content/11920000/000485784.pdf.

19) 厚生労働省ホームページ．（2017年8月），「産前・産後サポート事業ガイドライン」：
参照先：https://www.mhlw.go.jp/file/06-Seisakujouhou-11900000-Koyoukintoujidoukateikyoku/sanzensangogaidorain.pdf.

20) 総務省統計局．（2020年9月20日）．「統計からみた我が国の高齢者」．参照先：高齢者の人口：https://www.stat.go.jp/data/topics/pdf/topics126.pdf.

21) 厚生労働省ホームページ，「令和元年簡易生命表．主な年齢の平均余命」：
参照先：https://www.mhlw.go.jp/toukei/saikin/hw/life/life19/dl/life19-02.pdf.

22) 厚生労働省ホームページ，「がん検診．市町村のがん検診の項目について」：
参照先：https://www.mhlw.go.jp/stf/seisakunitsuite/bunya/0000059490.html

23) 文部科学省国際教育協力懇談会事務局．（2002年7月）．「国際教育協力懇談会資料集．我が国の教育経験について　健康教育（学校保健・学校給食）」
参照先：https://www.mext.go.jp/b_menu/shingi/chousa/kokusai/002/shiryou/020801d.htm#2.

24) 学校保健・安全実務研究会．（2020）．『新訂版　学校保健実務必携』第5次改訂版．第一法規株式会社．

25) 三浦豊彦．（1980）．『労働と健康の歴史　第2巻－明治初年から工場法実施まで－』．労働科学研究所．

26) 三浦豊彦．（1984）．『労働と健康の戦後史』．労働科学研究所．
参照先：https://www.mhlw.go.jp/wp/hakusyo/karoushi/19/dl/19-1.pdf.

27) 厚生労働省ホームページ，平成30年度「我が国における過労死等の概要及び政府が過労死防止のために講じた施策の状況」：参照先：https://www.mhlw.go.jp/wp/hakusyo/karoushi/19/dl/19-1.pdf

［1］ロタウイルスは10月から開始なので2020年10月現在とする.

第3章　介護保険制度と孤独死対策

木島望美

1．日本の超高齢社会と世帯の現状

1．介護保険制度と超高齢社会について

　介護保険制度は，2000（平成12）年に社会全体で高齢者介護を支える仕組みとしてスタートした制度である。その背景には，高齢化が進行し，要介護高齢者の増加したことや介護期間が長期化していること，また，核家族化の進行や介護する家族の高齢化などの要介護高齢者を支えてきた家族が変化してきたことが挙げられる。

　国は，高齢者が住み慣れた地域で最期まで暮らすために，地域の包括的な支援・サービス提供体制「地域包括ケアシステム」の構築を自治体に推進しており，介護も重要な役割を担っている。しかし，少子高齢化により介護人材不足の問題も抱えている。本章では，公的介護保険制度の概要と，制度を利用しただけでは支えきれない点について問題と対策について考える。

　我が国の総人口は，令和元（2019）年10月1日現在，1億2,617万人。65歳以上人口が総人口に占める割合（高齢化率）は28.4％であり，世界一の高齢化率を迎えている。65歳以上人口の男性対女性の比は，約3対4である。なお，65歳以上の者のいる世帯は全世帯の約半分を占めている。平成30（2018）年では夫婦のみの世帯が一番多く約3割，単独世帯と合わせると6割近くとなっている。また，65歳以上の男女ともに一人暮らしの者が増加傾向にあり，男女比は女性の方が多い。

　高齢化率は，世界保健機構（WHO）や国連の定義によれば，65歳以上の人

口が7％を超えると「高齢化社会」，14％を超えると「高齢社会」，21％を超えると「超高齢社会」とされる。日本は超高齢社会に入っており，今後ますます高齢化率が高くなると予測されている。

2．世帯の変化

　戦後・高度経済成長時代を通して，第一次産業中心の社会から第二次・第三次産業中心の社会に移り変わる中で，我が国の家族構成は多世代同居型から，核家族型に大きく変化していった。核家族とは，夫婦とその未婚の子女，夫婦のみ，父親または母親とその未婚の子女のいずれからなる家族形態のことをいう。子供が独立し，夫婦のみになる世帯や未婚化や晩婚化も関係し，一人で暮らす世帯が多くなる傾向にあると考えられ，社会全体の世帯構造が変わりつつある。

2．介護保険制度（公的介護保険）について

1．介護保険制度の創設と背景

　急速に高齢化が進行し，介護を必要とする方が増加している。介護の長期化や支える家族の高齢化により，家族だけでは介護することができない状況となった。社会全体で高齢者を支える仕組みとして，2000（平成12）年4月1日に介護保険制度が開始された。

　介護保険制度創設前は，老人福祉・老人医療制度が高齢者を支えていた。市町村が介護サービスの種類や提供機関を決めていたため，利用者が自由にサービス内容を決めることができなかったことや，本人と扶養義務者の収入に応じた利用者負担（応能負担）となり，中高所得層にとっては経済的に重い負担となった。また医療に関して，病院では治療の必要がないにも関わらず，在宅で支えるための制度が整っていなかったために，退院できないといった「社会的入院」が問題になり，医療費が増大した。

　老人福祉・老人医療制度では，利用者を支えることに限界があるため，社会全体で支える体制として，「自立支援」「利用者本位」「社会保険方式」を基本的

な考えとした介護保険制度が創設され，高齢者の自立した生活や自分でサービスを選ぶことができる制度になった。

２．介護保険の仕組み

　介護保険制度は，市区町村が運営しており，40歳以上になると全員加入して介護保険料を納めることになる。第１号被保険者（65歳以上の方）の場合，市区町村が徴収する。第２号被保険者（40歳〜64歳）の場合は会社員や公務員は医療保険者から医療保険の保険料をあわせて徴収されて，自営業は国民健康保険料に介護保険料を上乗せして徴収される。

３．介護サービスを受ける対象者，要件

　要支援・要介護状態となった第１号被保険者の方と，加齢による心身の変化に起因する下記の特定疾病（表３－１）により要支援，要介護状態となった第２号被保険者の方が，１割（一定以上の所得がある65歳以上の方は２割または３割）の利用料金を支払うことで介護サービスを受けることができる。

表３－１　特定疾病の種類

特定疾病（16疾病）
①　ガン末期　　②　関節リウマチ　　③　筋萎縮性側索硬化症　　④　後縦靱帯骨化症　　⑤　骨折を伴う骨粗鬆症　　⑥　初老期における認知症　　⑦　パーキンソン病関連疾患　　⑧　脊髄小脳変性症　　⑨　脊柱管狭窄症　　⑩　早老症　　⑪　多系統萎縮症　　⑫　糖尿病性神経障害　　⑬　脳血管疾患　　⑭閉塞性動脈硬化症　　⑮　慢性閉塞性肺疾患　　⑯　両側の膝関節又は股関節に著しい変形を伴う変形性関節

資料）厚生労働省資料より。

４．介護サービスを受けるまでの手続きや流れ

　介護サービスを利用するためには，要介護認定の申請を行い，介護の必要度を判定・認定する必要がある。要介護認定とは，「要支援１，２」「要介護１〜５」の７段階にわけられる。認定された区分に応じて，利用できるサービスや範囲などが異なる。

申請について

　まずは，本人または家族が，市区町村の介護保険窓口へ要介護・要支援認定申請書を提出する（第2号被保険者は医療保険被保険者証を添える）。居宅介護支援事業所や地域包括支援センターなどによる代行申請も可能なので相談しよう。申請時に準備するものは，介護保険被保険者証の持参（65歳以上の方）と申請書には主治医（かかりつけ医）を記載する欄があるので，名前や病院名を確認しておいた方がスムーズである。

認定調査

　申請者の心身の状態を調査し，要介護度を判定する。認定調査とは，認定調査員が自宅や施設，入院中であれば病院に訪問して，本人や家族から聞き取り調査を行う。そして，主治医意見書といって申請書の情報をもとに，市区町村が主治医に意見書を依頼する。

認定結果

　認定結果は，申請から原則30日以内に通知される。認定結果に納得できない場合は，都道府県に設置する介護保険審査会に審査請求を行う。その手続きは，認定結果の通知を受けた日の翌日から起算して60日以内に行わなければならない。介護認定調査会の判定は，一次判定はコンピューターでの判定となる。二次判定は保健，医療，福祉の方面からの学識経験者が状況調査票や主治医などの意見書の内容に基づいて，介護の必要性などについて話し合う。要支援1，2の場合，公的介護保険の介護予防サービス（予防給付）が利用できる。また，介護予防・日常生活支援総合事業のサービスと組み合わせて利用することが可能。要介護1～5の場合，公的介護保険の介護サービス（介護給付：在宅サービス，地域密着型サービス，施設サービス）が利用できる。

要介護認定基準

　7段階の認定区分の目安は，直接生活介助（入浴，排せつ，食事等の介護），間接生活介助（洗濯，掃除等の家事援助等），問題行動関連行為（徘徊に対する探索，不潔な行為に対する後始末等），機能訓練関連行為（歩行訓練，日常生活訓練の機能訓練），医療関連行為（輸液の管理，褥瘡の処置等の診療の補助）の項目に対する，要介護度の必要時によって分けられる（表3－2）。

表3-2　要介護度認定等基準時間と要介護状態区分

要介護状態区分	要介護認定等基準時間
非該当	25分未満
要支援1	25分以上32分未満
要支援2/要介護1	32分以上50分未満
要介護2	50分以上70分未満
要介護3	70分以上90分未満
要介護4	90分以上110分未満
要介護5	110分以上

資料）「要介護認定の仕組みと手順」厚生労働省老人保健課．を参考に作成。

表3-3　介護保険サービスの体系

訪問系サービス	訪問介護・訪問看護・訪問入浴介護・居宅介護支援等
通所系サービス	通所介護・通所リハビリテーション等
短期滞在系サービス	短期入所生活介護等（ショートステイ）
居住系サービス	特定施設入居者生活介護・認知症共同生活介護等
入所系サービス	介護老人福祉施設・介護老人保健施設等

資料）「 日本の介護保険制度」2016年11月厚生労働省老健局．を参考に作成。

　なお，福祉用具，特定福祉用具販売，住宅改修など受けられるサービスがあるので（表3-3），市区町村の介護保険窓口や地域包括支援センターに相談しよう。そのほかに，施設サービスを利用した場合には食費と居住費，短期入所サービスを利用した場合は，食費と居住費，通所サービスを利用した時は食費が自己負担となる。

　要介護度によって1ヵ月に利用できるサービスの上限額（支給限度額）が定められている（表3-4）。限度額を超えてしまうと利用料金は全額自己負担となる。

表 3 - 4　在宅サービスの 1 ヵ月あたりの利用限度額と自己負担額

要介護度	利用限度額（月額）	自己負担 1 割の場合
要支援 1	50,320円	5,032円
要支援 2	105,310円	10,531円
要介護 1	167,650円	16,765円
要介護 2	197,050円	19,705円
要介護 3	270,480円	27,048円
要介護 4	309,380円	30,938円
要介護 5	362,170円	36,217円

資料）厚生労働省「介護事業所・生活関連情報検索「介護サービス情報公表システム」」より。

3. 高齢者の介護を支える地域包括ケアシステム

1. 地域包括ケアシステムの実現に向けて

　団塊の世代（約800万人）が75歳以上となる2025年以降は，国民の医療や介護の需要が，さらに増加することが見込まれている。このため，厚生労働省においては，2025年を目途に，「高齢者の尊厳の保持と自立生活の支援の目的のもとで，可能な限り住み慣れた地域で，自分らしい暮らしを人生の最期まで続けることができるよう，地域の包括的な支援・サービス提供体制（地域包括ケアシステム）の構築を推進している（厚生労働省引用）」。

　このシステムは，医療・介護・介護予防・住まい・生活支援のサービスを，日常生活圏域（自宅から30分以内）で一体的に提供することを目指した体制である。また，認知症高齢者の増加が見込まれるため，地域での見守りも必要となってくる。全ての世代で支える，支えられる地域をつくることが期待されている。

2. 医療と介護の連携，最期は自宅で

　病院でも治療を終えれば，退院して自宅で医療や介護を受けながら最期まで暮らすといった考え方に変わりつつある。高齢化に伴い，慢性疾患の患者が増加しているため，病気と生活の質（QOL）の維持・向上を図っていく必要性が高まっている。

認知症高齢者の増加については，状態に応じた適切なサービス提供や，早期からの適切な診断や対応等を行うことが求められている。医療と介護が連携して，包括的で継続的な医療や介護の提供を行い，自宅で最期を迎えられるように体制を整える必要がある。

4．孤独死は個人だけの問題ではない

1．孤独死の現状

　一人暮らし高齢者などが，死後数日たって発見される孤独死が社会問題となっている。超高齢社会や一人暮らし世帯，高齢夫婦世帯により，今後ますます社会的孤立や孤独死の増加が予測される。孤独死に明確な定義はない。また，厚生労働省は「孤立死」という言葉を使用している。本章では，東京新聞や新井康友が定義している「一人暮らしをしていて，誰にも看取られずに自宅で亡くなった場合のこと」を指し，孤独死という言葉を使用する。

　内閣府の調査によると，一人暮らしの60歳以上の者の5割超が，孤独死を身近な問題と感じているとの結果がある。孤独死は60歳以上の者全体での比率は34.1％だが，一人暮らし世帯では50.8％と5割を超えている。

　死因不明の急性死や事故で亡くなった人の検案，解剖を行っている東京都監察医務院が公表しているデータによると，東京23区内における一人暮らしで65歳以上の人が自宅で死亡する数は，平成30（2018）年に3,882人となっている。

　女性よりも男性の方が，自宅で亡くなっていることが多いと分かる。これらの死亡者数がすべて孤独死であるわけではないが，孤独死もこの人数に含まれると考えられることから，おそらく，同様に高い水準にあるものと推測される（後掲図3−1及び図3−2参照）。

　孤独死をするという自由もあるが，亡くなってから時間が経過すれば，近隣住民の不安や，不動産会社は苦情対応や事故物件扱いになるため経済的な損失になること，遺体処理や遺品整理の親族の負担といった問題が挙げられる。孤独死は個人だけの問題ではなく，社会の問題として捉え，解決に取り組む必要があるだろう。

図3－1　2018年の性別・死後経過日数別の自宅住居死亡単身世帯者数構成割合（平成30年）

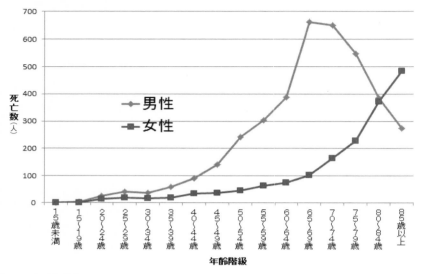

資料）東京都福祉保健局。

図3－2　2018年の性別・死後経過日数別の自宅住居死亡単身世帯者数構成割合（平成30年）

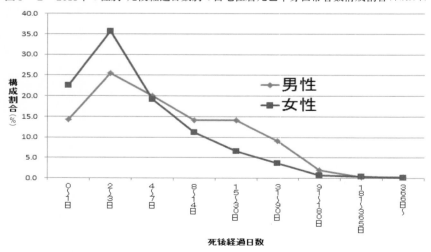

資料）東京都福祉保健局。

２．孤立する要因

　超高齢社会，一人暮らし世帯の増加，地域のつながりの希薄化から孤立の問題が考えられる。千葉県松戸市常盤平団地自治会で孤独死防止対策に取り組んでいる中沢会長は，孤独死を招く原因が高いのは，一人暮らし・友達がいない・あいさつをしない・他人のことに関心を持たない・催しに参加しない・身内がいても連絡しないなど，「ないないづくし」が関係していると述べる。認知症で判断能力が低下している一人暮らし高齢者や高齢者夫婦世帯，介護保険制度の利用について情報を知らない人，介護が必要であっても他人からのサポートを受ける事を拒否をしている人もいる。また，介護サービスを利用すれば，地域とのつながりがなくても生活が成り立つ時代でもある。

　内閣府の生活環境の調査では，男性単身世帯の半数以上が近所の人との付き合いは，あいさつ程度であり，女性単身世帯は近所の人と親しくつきあっている割合が高い。男性は仕事で定年を迎え在宅での生活を始めるが，日頃から近所との付き合いがなかったため，地域の催し物に参加することが少なくなっている。「ないないづくし」によって，孤独死をする可能性が高くなることが考えられる。

３．地域で孤立しないために

　孤立や孤独死が増加しないために，地域で，日々の見守りや早期発見するための体制を整えたい。地域住民，民間事業者，行政が高齢者の見守りネットワーク体制を構築する。近隣との関係が希薄化しても，アパートやマンション，戸建てで暮らしている人は，生活する上で電気や水道，ガスや，郵便局，宅配業者，銀行，新聞配達など，生活する上で何かしらの民間事業者との関わりがあると思う。

　民間事業者と連携し，具体的な見守りのポイントについての共有や異常に気付いた時の連絡先を提示し，早期発見できる仕組みを作る。地域によっては見守り活動を行っている所もある。遠目での見守りや電話や訪問など，一人暮らしに不安がある人も見守りを受け自らの孤立や孤独死を防いで安心して暮らせるようにしよう。また，自治体によっては名称や利用基準は異なるが，緊急通

報システムといって，主に一人暮らし高齢者を対象に急病や緊急時に安否確認に入るサービスもある。民間事業所や自治体だけではなく，普段の生活の中で住民同士が気にかけあい，見守る・見守られる役割が出来れば，住み慣れた地域で最期まで暮らすことができるかもしれない。

　介護保険制度を利用し，他人や行政のお世話になりたくないと思う人もいるため，公的サービスだけではなく，地域に高齢者が気軽に集まれる拠点をつくり，顔見知りの関係を作れる，集いの場の提供も求められる。住まいに関しても，高齢者賃貸マンションを増やし，日常生活の安全，緊急時の一時的な対応ができ，見守り体制を作り安心した暮らしが送ることができるように整備することも地域での孤立防止につながるかもしれない。

5．今後の課題

　介護保険制度は必要となった人が申請をして認定を受けてからの利用となり，対象になるということが前提である。今まで元気だった人がある日突然体調を崩し，亡くなってしまうことや，サービスを利用していても利用限度が決められているために，サービスとサービスの間が空いていれば発見が遅くなってしまうかもしれない。

　定期的にケアマネジャーやサービス事業所からの見守りを受けられる状態であっても，利用条件や利用限度によっては毎日の安否確認，見守りを受けることには限界がある。時代や家族の構成，居住の変化から孤独死をするのは高齢者になってからの問題だけではなく，若いうちから抱えている問題かもしれない。

　在宅で安心して最期まで暮らすためには，介護保険制度だけではなく，地域とのつながりを持ち，高齢者を見守るための仕組みづくりに社会全体で取り組まなければならない。住民一人ひとりの意識や行政の積極的で継続的な介入が必要であるため，地域住民や事業者，専門職，行政が連携し，それぞれの役割を理解して果たせる機能を分担し，高齢者の暮らしを支えることが求められる。

（地域包括支援センター；社会福祉士）

参考文献

総務省「人口推計」2018年.

内閣府「令和2年版高齢社会白書」2020年.

厚生労働省「平成20年3月高齢者等が一人でも安心して暮らせるコミュニティ
　　づくり推進会議（「孤独死」ゼロを目指して）」報告書.

厚生労働省老健局「日本の介護保険制度」2016年.

厚生労働省「地域包括ケアシステム」，2005年～.

厚生労働省「医療と介護の一体的な改革」，20XX年～.

結城康博「孤独死のリアル」，講談社現代新書，2014年.

結城康博・河村秋・大津唯　編著『わかりやすい社会保障制度～はじめて福祉
　　に携わる人へ』，ぎょうせい，2018年.

内閣府「高齢者の住宅と生活環境に関する調査」2018年.

新井康友「一人暮らし高齢者の孤独死の実態に関する一考察」『中部学院大学・
　　中部学院大学短期大学部研究紀要』(11)，84-89，2010年-03.

第4章　生活保護行政と生活困窮者対策

元田宏樹

1．日本における公的扶助の歴史

1．戦前の仕組み

　日本の公的扶助の歴史は，701（大宝元）年に制定された「大宝律令」が始まりといわれている。その後も天皇による「施薬院」や「悲田院」などでの救済が行われた。

　徳川時代になると公的な窮民救済策である「七分積金」が見られるようになった。明治政府による公的扶助は1874（明治7）年に公布された「恤救規則」である。この規則は貧困救済は，「人びとの間のお互いの同情心によっておこなうのが建前であるが，誰にも頼れない困窮者だけは救済の対象とする」というものであった。

　その後，大正期における米騒動や，昭和期に入っての社会構造的な不況などから，政府も貧困の原因を個人的な問題とする考え方を改めざるを得なくなり，恤救規則の抜本的改正が強く求められ1929（昭和4）年「救護法」が制定された。救済の対象とされたのは，①　65歳以上の老衰者，②　13歳以下の幼者，③　妊産婦，④　不具廃疾，疾病，傷病その他精神又は身体の障害により労務を行うに故障のある者とされた。

2．生活保護法の成立

　1945（昭和20）年，日本は敗戦によって戦災者や引揚者に対する公的な需要が急激に増えた。1946（昭和21）年，占領軍総司令部（GHQ）から公的扶助の

構築を指示された政府は同年の第90回帝国議会に生活保護法案を提出した。

　この（旧）生活保護法は，それまでの制限扶助主義から抜け出し，無差別平等の原則を持つ近代的公的扶助制度として成立した。そして，国家責任を明確にし，貧困を個人の責任に帰すことをせず，社会的責任であることを認める制度となった。

　さらに，政府は1948（昭和23）年12月，「社会保障制度審議会」を設置し，翌年，審議会は政府に対して「生活保護制度の改善強化に関する勧告」を行った。主な内容としては，①　国が定める保護水準は，健康で文化的な最低限度の生活を維持できるものでなければならない。②　保護請求権及び不服申立ての権利を保障する。③　保護の実施は専門資格を持つ職員が遂行する，などである。

　政府は，この勧告を受け1950（昭和25）年，（新）生活保護法を策定し，同年5月に公布された。

2．生活保護制度の概要

1．世帯数

　厚生労働省の「生活保護の被保護者調査」によれば，2020年4月の「被保護実人員」は2,059,536人，「被保護世帯数」は1,634,584世帯となっている。被保護実人員は，2014年度（月平均）のピーク時（2,165,895人）に比べると減少したが，過去最少であった1995年度（月平均）の882,229人と比較すると117万人以上増加している。被保護世帯数では，1992年度（月平均）の最小値である585,972世帯と比較すると104万世帯以上増加している。

　被保護世帯の世帯類型は，「高齢者世帯」が906,273世帯（55.7％）で最も多い。

　受給世帯の推移の特徴の一つとして，2009年以降，稼働年齢層が含まれる「その他世帯」の絶対数及び割合が増加傾向にある。これは，収入の不安定な非正規雇用者の増加が原因とされる。

図4－1　被保護世帯数，被保護人員，保護率の年次推移

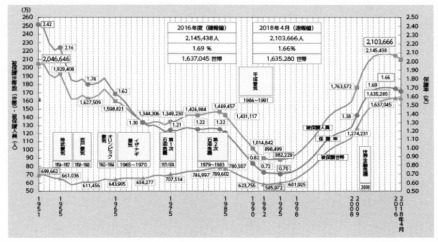

資料）厚生労働省「平成30年版厚生労働省白書」。

2．基本原理

　生活保護法（以下「法」という）は，憲法第25条の「国民は，健康で文化的な最低限度の生活を営む権利を有する」という条文の実現を目的としている。そして，生活保護制度では，4つの基本原理が定められている。

① 国家責任による原理

　法第1条では，「国家責任による原理」と規定されている。これは生活困窮に陥った国民については国が保護するという原理である。また，同条に併記された「自立を助長することを目的とする」という条文については，保護を受けることによって生じるいわゆる「惰眠」を防止する意味ではなく，「『最低生活の保障』と対応し社会福祉の究極の目的とする『自立の助長』を掲げることにより，この制度が社会保障の制度であると同時に社会福祉の制度である所以を明らかにしようとした」（小山1951：84）とされている。

② 保護請求権無差別平等の原理

　法第2条では，国民に保護請求権を認めた上で，生活困窮状態に陥った要件

を問うことなく保護受給できることが定められている。

旧生活保護法においては，「生計の維持に努めない者」，「素行不良な者」等は保護に値しないとされていたが，新法においては，急迫した事由がある場合には，いったん保護を開始し，その後，適切な指導・指示をしていくようになった。すなわち，貧困状態に陥った理由を問わず，年齢等の制限もなく，生活に困窮していれば保護を開始するようになった。

③　最低生活保障の原理

法第3条では「この法律により保障される最低限度の生活は，健康で文化的な生活水準を維持することができるものでなければならない」と規定されている。これは憲法第25条を実現するための条文であり，保護基準の具体性を担保したものである。その基準について，「単に辛うじて生存を続けることを得せしめるという程度のものであってはならない」(小山1951：115)とされている。

④　保護の補足性の原理

法第4条には「保護は，生活に困窮する者が，その利用し得る資産，能力その他あらゆるものを，その最低限度の生活の維持のために活用することを要件として行われる」と規定されている。この原理は，保護を受ける者が最低限守るべき条件を定めたものである。

また，同条第2項には「民法に定める扶養義務者の扶養及び他の法律に定める扶助は，すべてこの法律による保護に優先して行われるものとする」とある。

3．保護の原則

基本原理に加え保護制度を円滑に運用するために4つの基本原則が定められている。

①　申請保護の原則

保護は，要保護者，その扶養義務者，同居の親族の申請に基づいて開始されるという原則である。申請がなければ保護は開始されないが，要保護者が窮迫した状況であれば，福祉事務所は速やかに，職権をもって保護を開始するという「職権による保護」も規定されている。

② 基準及び程度の原則

　「保護基準」は厚生労働大臣が定め，要保護者が生活していくうえで必要となる需要は，その基準に基づいて算定されるという原則である。そして，需要に満たない部分について不足分を補う程度で金銭給付または現物給付が行われる。

　この基準は，要保護者の必要な事情を考慮した最低限度の生活の需要を満たすうえで十分なものであって，かつ，その需要を超えないものでなければならない。この基準があることで，福祉事務所における恣意性を排除することができる。

③ 必要即応の原則

　生活保護制度は，要保護者の年齢や健康状態といった実際の必要性に応じて行われるという原則である。よって，被保護者に一律に金銭を給付すればよいという機械的な運用ではなく，個々の実態に応じた保護が実施される。

④ 世帯単位の原則

　生活保護の要否（必要か否か）や程度の判定については，個人ごとではなく世帯を単位として行われるという原則である。すなわち世帯員のうち一人だけが生活に困窮していても他の世帯員の収入等によってその世帯が，最低生活基準を上回る場合，保護の判定は否となる。

　しかしながら，例えば，世帯員のうち稼働能力があるにもかかわらず，それを活用しないため，他の世帯員がやむを得ない事情によって保護を要する場合は，要件を欠く者を分離して他の世帯員のみを保護するという「世帯分離」の運用も設定されている。

4．各扶助の種類

　生活保護制度においては，以下の8つの扶助が定められている。

①　生活扶助（個人単位の食費や被服費，世帯単位の光熱水費を扶助）

②　教育扶助（義務教育に必要となる費用を扶助）

③　住宅扶助（居住する借家等の家賃について定められた範囲内で実費を扶助）

④　医療扶助（医療機関での治療費や調剤の給付について現物給付の方式で扶助）

⑤　介護扶助（要介護者等にかかる費用について，現物給付の方式で扶助）

⑥　出産扶助（分べんの介助，分べん前後の処置にかかる費用について扶助）

⑦　生業扶助（技能修得費用や高等学校に進学する費用などを扶助）

⑧　葬祭扶助（死体の運搬や火葬又は埋葬，納骨その他葬祭に必要な費用について扶助）

　第二次世界大戦後のイギリスにおける手厚い社会保障制度は「ゆりかごから墓場まで」と例えられた。日本の生活保護制度もこれと同様に「生まれる前から死んだ後まで」人生のライフステージの全てをカバーしていることがわかる。

5．実施機関

　生活保護を運営する機関として，社会福祉法第14条では「都道府県及び市は，条例で，福祉に関する事務所を設置しなければならない」と規定されている。なお，町村の設置は任意であることから町村が設置しない地域については都道府県が福祉事務所を設置している。

　福祉事務所に配置される職員は，同法第15条で，①　指導監督を行う所員（査察指導員），②　現業を行う所員（ケースワーカー），③　事務を行う所員が定められている。

　査察指導員及びケースワーカーは，大学等で厚生労働大臣の指定する社会福祉に関する科目を修めて卒業した「社会福祉主事」でなければならない。

　ケースワーカーの配置数は，同法第16条で，市部の場合は被保護世帯80世帯につき１人，郡部（都道府県）の場合は65世帯につき１人を標準とするよう定められている。

6．面接相談から保護開始まで

　生活保護についての相談や実際に申請をする窓口は，居住する地域を所管する福祉事務所の生活保護担当になる。ここで制度の説明を受け，状況に応じては，他の制度である生活福祉資金や各種社会保障施策の活用についても検討す

ることになる。

　保護を申請する者は，氏名，保護を受けようとする理由，資産および収入の状況などを記載した申請書を福祉事務所に提出する。なお，申請者の状況から書面での提出が困難である場合は口頭による申請も認められている。

　生活保護の申請後，福祉事務所のケースワーカーが，申請者の生活状況等を把握するため家庭を訪問する。さらに預貯金等の資産調査，扶養照会を行い，就労の可能性なども確認する。

　調査によって，保護を申請した世帯の収入が厚生労働大臣の定める基準（保護基準）に満たない場合に保護が開始される。なお，基準を超える場合は申請が却下される。

3．生活困窮者自立支援制度

1．成立の経緯

　日本は，かつていわれていたような「一億総中流社会」ではなくなった。厚生労働省の「平成28年国民生活基礎調査」によると，相対的貧困率（等価可処分所得の中央値の半分に満たない世帯員の割合）は，15.6％となっている。

　国際比較が可能な2010年の数値でみても，日本の相対的貧困率はOECD平均を大きく上回っており格差社会は深刻な状況といえる。

　要因の一つに労働市場における非正規労働者の増加があるといわれている。非正規労働者の賃金は正規労働者より低く，健康保険や厚生年金保険といったセーフティネットから漏れている場合も多い。

　また，現代の日本社会は，一度貧困状態に陥ると脱却するのが容易ではない「貧困の固定化」という問題が生じている。

　このような生活困窮リスクの高い層の増加を踏まえ，生活保護制度の見直しを図るとともに生活保護に至る前で新たなセーフティネットを構築するため，2013年に「生活困窮者自立支援法」が成立し2015年4月1日から施行された。

　厚生労働白書によれば，法施行から3年の間において，新規の相談者は約68万人で，自立支援計画の作成による継続的な支援を実施した人は約19万人お

り，そのうち約9万人が，就労・増収を果たしている。こうした結果を見る限り，生活困窮者への支援の効果が現れてきている。

　さらに，生活困窮者の一層の自立の促進を図り，包括的な支援体制の強化を図る改正が2018年6月に行われた。主な改正内容としては，「自立相談支援事業・就労準備支援事業・家計改善支援事業の一体的実施の促進」や「子どもの学習支援事業の強化」などがある。

２．制度の概要

　法律の目的としては「生活困窮者自立相談支援事業の実施，生活困窮者住居確保給付金の支給その他の生活困窮者に対する自立の支援に関する措置を講ずることにより，生活困窮者の自立の促進を図ること」となっている。

　改正前の「生活困窮者」の定義は「現に経済的に困窮し，最低限度の生活を維持することができなくなるおそれのある者」とされていたが，改正後は前段で「就労の状況，心身の状況，地域社会との関係性その他の事情により」という文言が追加され，経済的に困窮するに至った事由が明記された。

① 　自立相談支援事業（必須事業）

　当該事業は，福祉事務所設置自治体が実施する。生活困窮者からの相談を受け，課題をアセスメントし，そのニーズを把握する。続いて，ニーズに応じた支援が計画的に行われるよう自立支援計画を策定する。また，自立支援計画に基づく各種支援が包括的に行われるよう，関係機関との連絡調整を行う。

　期待される効果としては，生活保護に至る前の段階から支援を行うことで，生活困窮状態からの早期自立を支援できる。さらに，生活困窮者に対する相談支援機能の充実により，福祉事務所の負担軽減とともに，社会資源の活性化，地域全体の負担軽減が可能になる。

② 　住居確保給付金（必須事業）

　離職等により経済的に困窮し，住居を失った又はそのおそれがある者に対し，住居確保給付金を支給することにより，安定した住居の確保と就労自立を図る。

期待される効果としては，住居を確保したうえで，または住居を喪失する手前で生活保護に至ることなく，自立相談支援事業や就労準備支援事業との組み合わせにより自立を目指すことが可能となる。

③　就労準備支援事業（任意事業）

　一般就労に従事する準備としての基礎能力の形成を，計画的かつ一貫して支援する事業として創設された。福祉事務所設置自治体の事業で，最長1年の有期の支援を実施する。

　生活習慣形成のための指導・訓練（日常生活自立），就労の前段階として必要な社会的能力の習得（社会生活自立），事業所での就労体験の場の提供や，一般雇用への就職活動に向けた技法や知識の取得等の支援（就労自立）の3段階を実施する。

　期待される効果としては，生活習慣の形成等，個人の状況に応じた支援を行うことで，一般就労に就くための基礎的な能力の習得が可能となる。

④　一時生活支援事業（任意事業）

　一時生活支援事業は，各自治体においてホームレス対策事業として実施しているホームレス緊急一時宿泊事業（シェルター）及びホームレス自立支援センターの運用を踏まえ，これを制度化したものである。

　住居のない生活困窮者であって，所得が一定水準以下の者に対して，原則3ヵ月間（最大で6ヵ月間）に限り，宿泊場所の供与や衣食の供与等を実施する。自立相談支援事業と緊密に連携し利用中に，課題の評価・分析（アセスメント）を実施し就労支援など，効果的な支援を行う。

　期待される効果としては，住居を持たない生活困窮者に衣食住のサービスを提供するとともに，本事業を利用している間に，仕事を探し，アパート等を借りるための資金を貯蓄し，就労による自立が可能となる。

⑤　家計改善支援事業（任意事業）

　福祉事務所設置自治体が任意で実施する。本事業は，家計表等を活用し，家計収支等に関する課題の評価・分析（アセスメント）を実施し，相談者の状況に応じた支援プランを作成する。家計表等の作成支援や滞納（家賃，税金，公共料金等）の解消，債務整理に関する支援等を行う。

期待される効果としては，家計収支の改善，家計管理能力の向上等により，再び困窮状態になることの予防や自立した生活の定着を実現することができる。

⑥　子どもの学習・生活支援事業（任意事業）

　「貧困の連鎖」防止のため，生活困窮世帯の子どもに対して学習支援事業を実施する。また，保護者に対し子どもの生活習慣等の改善に関する助言も行う。各自治体が地域の実情に応じ，進路相談，中退防止のための学習支援，居場所の提供など創意工夫をこらした事業を行う。

4．まとめ

　本章では，生活保護制度及び生活困窮者自立支援制度の概要についてみてきた。グローバル社会の進展や少子高齢化といった社会構造の変化に，こうしたセーフティネットは必ずしも追いついていないのが現状である。

　生活困窮状態に陥った人々の実態は金銭的な問題に止まらず，人間関係の希薄さ，ストレスによる疾病，必要な情報へのアクセスのしにくさ等，様々な要因が重なり合っていることが多い。

　行政機関をはじめとする支援に携わる機関の職員には，生活困窮者が抱える課題の背景にも目を向け丁寧に寄り添いながら自立を助長する姿勢が求められると考える。

（聖学院大学准教授）

参考文献

【生活保護制度】
1）池谷秀登（2017）『生活保護ハンドブック』，日本加除出版．
2）岩田正美，岡部卓，清水浩一（2005），『貧困問題とソーシャルワーク』，有斐閣．
3）宇山勝儀，船水浩行（2007）『福祉事務所運営論』，ミネルヴァ書房．
4）岡部卓（2014），『福祉事務所ソーシャルワーカー必携』，全国社会福祉協議会．

5）厚生労働省『平成30年版　厚生労働白書』.
　　https://www.mhlw.go.jp/wp/hakusyo/kousei/18/dl/all.pdf.（2020/ 7 /31）.
6）厚生労働省社会・援護局保護課（2016），「生活保護関係全国係長会議資料」.
7）小山進次郎（1951），『生活保護法の解釈と運用』中央社会福祉協議会.
8）生活保護制度研究会（2019），『生活保護の手引き 令和元年度版』，第一法規.
9）結城康博，河村秋，大津唯（2018）『わかりやすい社会保障制度』，ぎょうせい.

【生活困窮者自立支援制度】
10）中央法規出版編集部（2014），『改正生活保護法・生活困窮者自立支援法の
　　ポイント』，中央法規.

第5章　障害者福祉をとりまく課題

藤 田 則 貴

1．障害者福祉制度の概要[i]

　独立行政法人福祉医療機構が，「障害者福祉制度の概要」についての沿革を
まとめているので，順を追ってみていきたい。障害者福祉制度は，2003（平成
15）年4月の「支援費制度」の導入により，従来の「措置制度」から大きく転
換された。措置制度では行政がサービスの利用先や内容などを決定していた
が，支援費制度では，障害者の自己決定に基づきサービスの利用ができるよう
になった。しかし，導入後には，サービス利用者数の増大や財源問題，障害種
別（身体障害，知的障害，精神障害）間の格差，サービス水準の地域間格差な
ど，新たな課題が生じてきた。

　そこで，これらの課題を解消するため，2005（平成17）年11月に「障害者自
立支援法」が公布さた。新しい法律では，これまで障害種別ごとに異なってい
たサービス体系を一元化するとともに，障害の状態を示す全国共通の尺度とし
て「障害程度区分」(現在は，「障害支援区分」) が導入され，支給決定のプロセ
スの明確化・透明化が図られた。

　また，安定的な財源確保のために，国が費用の2分の1を義務的に負担する
仕組みや，サービス量に応じた定率の利用者負担（応益負担）が導入された。

　「障害者自立支援法」については施行後も検討が行われ，特に利用者負担に
ついては，軽減策が講じられてきた。そして，2010（平成22）年の法律改正では，

---

i）独立行政法人　福祉医療機構

利用者負担が抜本的に見直され，これまでの利用量に応じた1割を上限とした定率負担から，負担能力に応じたもの（応能負担）となり，2012（平成24）年4月から実施されている。

　2012（平成24）年6月には「地域社会における共生の実現に向けて新たな障害保健福祉施策を講ずるための関係法律の整備に関する法律」が公布され，この法律により2013（平成25）年4月に「障害者自立支援法」は「障害者の日常生活及び社会生活を総合的に支援するための法律（障害者総合支援法）」となり，障害者の範囲に難病等が追加されるほか，障害者に対する支援の拡充などの改正が行われていた（図5－1）。

1．重度訪問介護の問題

　障害者福祉をとりまく環境は，時代の流れに伴って，変化している状況にある。記憶に新しいかと思われるが，2019（令和元）年の参議院議員選挙（2019年7月21日投開票）において，「れいわ新選組」の舩後靖彦氏と木村英子氏が「特定枠」候補として立候補し当選し，2議席を獲得した。

　舩後氏は，重度障害のある人工呼吸器装着ALS患者として史上初の国会議員となる。また，木村氏は，生後8カ月の時，頸椎損傷により，重度の身体障害を負い，同じく2019年の参議院議員選挙において国会議員となった。

　一方，「千葉日報」（2019（令和元）年7月31日付記事）によると，重い障害のある「れいわ新選組」の参院議員2人が求めた議員活動中の介護保障の問題は，働きたい当事者にとっても大きな壁として立ちはだかることが分かった。国は，収入が発生する「経済活動」中は介助費に公的補助を認めていなかったためである。「障害者の就労や自立の支援に矛盾した制度で，改善するべきだ」との声が上がっていた。

　舩後氏と木村氏は，障害福祉サービスの「重度訪問介護」が受けられなくなれば，2019（令和元）年8月1日からの臨時国会に出席できないと訴えていた。そのため，2019（令和元）年7月30日の参院議院運営委員会理事会で与野党が協議し，参議院などが介助費を当面の間，負担すると決定した。2人の議員活動に限っては，参議院による「合理的配慮」によって支援が認められた形とな

図5−1　障害者福祉制度の概要

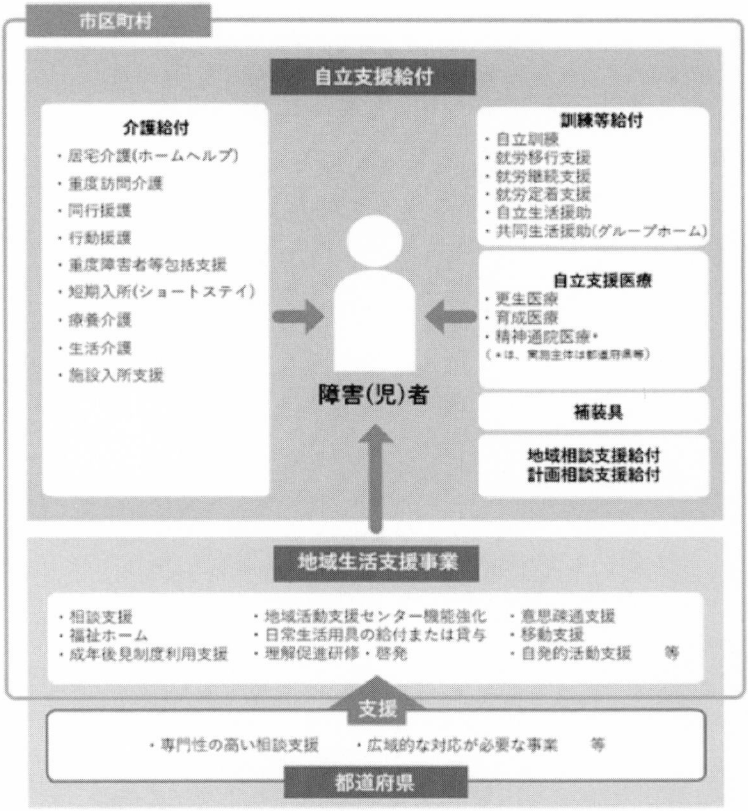

出典：独立行政法人　福祉医療機構

った。しかし，一般社会では，重度障害者が働きづらい状況は現在も変わらないままとなっている。

　舩後氏と木村氏両氏の参議院議員要請を受け，厚生労働省では，２人が重度訪問介護利用者でもあるため，厚生労働省内において「障害者雇用・福祉連携強化プロジェクトチーム」を立ち上げるに至った。更には，障害者の就労支援に関する「雇用と福祉の一体的展開の推進に係る諸課題」の一つとして，「通勤や職場等における支援の在り方」についても総合的に対応策が検討されるこ

ととなった。

　一方で，障害者雇用促進法の法改正は，今後の継続審議となった。また，2020年度（令和２年度）の予算案の閣議決定に伴い，2020年度からの新しい取り組みである，障害者雇用助成金制度と地域生活支援事業の組み合わせによる対応が発表された。

　ア．重度訪問介護[ii]

　重度の肢体不自由または重度の知的障害，もしくは精神障害があり，常に介護を必要とする人に対して，ホームヘルパーが自宅を訪問し，入浴，排せつ，食事などの介護，調理，洗濯，掃除などの家事，生活等に関する相談や助言など，生活全般にわたる援助や外出時における移動中の介護を総合的に行うとされている。

　このサービスでは，生活全般について介護サービスを手厚く提供することで，常に介護が必要な重い障害がある人でも，在宅での生活が続けられるように支援するとされている。

　しかし，現行制度では，舩後氏と木村氏両氏の「議員活動」は「就労」と同様に収入の発生する「経済活動」と見なされ，雇用主が負担すべきだとの考えから公的補助の対象外となっている。

２．障害を理由とする差別の解消の推進に関する法律[iii]

　国連の「障害者の権利に関する条約」の締結に向けた国内法制度の整備の一環として，全ての国民が，障害の有無によって分け隔てられることなく，相互に人格と個性を尊重し合いながら共生する社会の実現に向け，障害を理由とする差別の解消を推進することを目的として，2013（平成25）年６月に「障害を理由とする差別の解消の推進に関する法律」（「障害者差別解消法」）が制定され，2016（平成28）年４月１日から施行されている（図５−２）。

---

ii）独立行政法人 福祉医療機構，前掲
iii）内閣府『令和元年版　障害者白書』，2019

図5-2　障害者差別解消法の具体的な措置

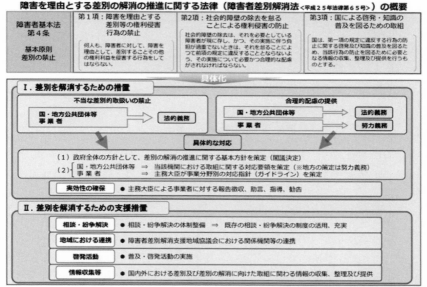

出典：内閣府資料より

3．障害者雇用促進法

　障害者基本法第1条によると，障害者施策の基本理念は，全ての国民が，障害の有無によって分け隔てられることなく，相互に人格と個性を尊重し合いながら共生する社会の実現のためには，職業を通じた社会参加が重要であるとされている。この考え方の基に障害のある人の雇用対策の各施策を推進している。具体的には，「障害者の雇用の促進等に関する法律」（昭和35年法律第123号。以下「障害者雇用促進法」という。）や同法に基づく「障害者雇用対策基本方針」（平成30年厚生労働省 告示第178号）等を踏まえ，障害のある人，一人ひとりがその能力を最大限発揮して働くことができるよう，障害の種類及び程度

に応じたきめ細かな対策を講じている。^{iv}

1．障害者雇用率制度

「障害者雇用促進法」では，民間企業等に対し，一定の割合（障害者雇用率）以上の障害のある人の雇用を義務づけている。障害者雇用率は，企業の社会連帯の理念に基づき，身体障害者，知的障害者又は精神障害者に一般労働者と同じ水準の雇用の場を，各事業者の平等な負担の下に確保することを目的として設定している。1960年の制度創設時，民間企業の障害者雇用率は努力義務として事務的事業所1.3％，現場的事業所1.1％であった。その後，1976年に障害者雇用率制度を義務化し，1988年，1998年，2013年及び2018年に障害者雇用率を改正している。

2018年4月からは，新たに精神障害者が雇用義務の対象となり，これを踏まえて，障害者雇用率が算定されることに伴い，民間企業の障害者雇用率は2.2％となった（2021年3月31日より前に，さらに0.1％引き上げが行われる予定）。なお，国等の公的機関については，率先垂範すべき立場にあることから，民間企業を上回る2.5％（都道府県等の教育委員会は2.4％）としている（民間企業と同様に，2021年3月31日より前に，さらに0.1％引き上げが行われる予定である）。

4．新型コロナウイルスの問題

新型コロナウイルスの感染拡大に鑑み，「障害者白書」においても新型コロナウイルス禍における様々な取り組みを紹介しているので，以下では項目ごとにみていきたい。

1．新型コロナウイルスの感染拡大^v

2019年12月に中国で初めて感染者が確認された新型コロナウイルス感染症

---

iv）内閣府『令和2年版　障害者白書』，2020
v）内閣府，前掲書，2020

（COVID-19）は，その後短期間に全世界に拡大した。日本でも，2020年1月に国内で初めての感染者が確認されて以降，感染者が増加し，現在も国民生活に様々な影響を及ぼしている。

２．障害のある人に関わる主な措置（2020（令和２）年６月現在）

ア．障害福祉関係

　障害福祉サービス等事業所をはじめとする社会福祉施設等が提供する各種サービスは，利用者やその家族の生活を継続する上で欠かせないものであり，十分な感染防止対策を前提として，利用者に対して必要な各種サービスが継続的に提供されることが重要である。

　そのため，厚生労働省では，地方自治体に対し，社会福祉施設等における感染拡大防止に向けた取り組みについて，感染者が発生した場合の留意事項や衛生用品等の適切な管理，障害福祉サービス等の報酬，人員，施設・設備及び運営基準等の柔軟な取扱いについて要請するとともに，緊急事態宣言後の対応等について周知している。

　また，視聴覚障害者等，情報・コミュニケーション支援を必要とする者に対する新型コロナウイルス感染症への対応について，相談に関する連絡先（電話，FAX番号やメールアドレス）の周知，ホームページ上の情報のテキストデータや字幕映像の提供等，障害特性を踏まえた情報提供の配慮を地方自治体に対して要請している。

イ．障害者雇用関係

　ハローワークにおいては，感染拡大防止の観点から，電話による職業相談や，郵送又はインターネットなどできる限り来所を求めない方式により求職申込み又は求人申込みが可能であることを周知している。また，地域障害者職業センター及び障害者就業・生活支援センター等における継続した支援のため，できる限り来所を求めない方式により支援の継続に努めること等，柔軟な対応を推進している。

　さらに，支援対象障害者（障害者雇用安定助成金）の職場定着支援について，従来対面での支援を助成対象としていたところ，ICT等を活用したオンライン

による支援も助成対象としている。

　加えて，事業者団体に対して，障害のある人の雇用の安定に向け，特段の配慮を求める要請を行っている。

　ウ．学校関係

　学校における新型コロナウイルス感染症に関する対応については，国内で感染者が確認され始めた当初より，文部科学省において，新型コロナウイルスに関連した感染症対策に係る情報を，児童生徒，学生，保護者及び教職員等に周知するとともに，安全確保に細心の注意を払う旨を教育委員会等に依頼するなど，各種対応を行ってきた。

　2020（令和2）年2月27日に開催された対策本部において，子どもたちの健康・安全を第一に考え，多くの子どもたちや教職員が，日常的に長時間集まることによる感染リスクにあらかじめ備える観点から，小学校，中学校，高等学校及び特別支援学校等における一斉臨時休校を要請する方針が内閣総理大臣から示された。このことを受け，翌28日に，文部科学省から各学校の設置者へ春季休業開始日までの間の臨時休業の実施を要請し，多くの学校において，臨時休業の措置が取られた。

　この一斉臨時休業に際し，特別支援学校等に在籍する障害のある幼児児童生徒の中には，保護者が仕事を休めない場合に自宅等で一人で過ごすことができない者がいることも考えられることから，地域の障害福祉サービス等も活用して，幼児児童生徒の居場所の確保に取り組むこと等を要請するなど，障害のある子どもの居場所の確保に取り組んだことが，報告されている。

　この新型コロナウイルスの問題は，障害があろうとなかろうと，少なからず何らかの支障をきたし，日常生活に大きな影響を及ぼし，また，現在においても影響を及ぼしている。

　とくに，下記にとりあげる「視覚障害者」や「聴覚障害者」の現状は，この新型コロナウイルス禍，特有の配慮が必要であったり，不便さを感じながらも生活している様子が窺える。

3．聴覚障害者の現状

　医療機関を受診する際に，「オンライン診療」が主流になりつつあるが，その状況下での様子を以下に示す。聴覚障害者の場合，「オンライン診療」において，主治医（或いは，医師）から診察を受ける際，症状等を手話通訳者を通じて，手話でのやりとりで進めていくこととなる。その際に，マスクをしていると手話通訳者の表情を読みとることができなかったり，また一方で，マスクをとることによって手話通訳者が利用者に感染させてしまうのではないかという不安（仮にフェイスシールドをしていたとしても同様な不安がある）から，手話通訳者も 1 回通訳をしてから，間隔をおいて手話通訳を行うなど，通訳の回数を減らすなどの配慮が必要となってくるため，手話通訳者自身も手話通訳をしたいが，できないという，もどかしさを持ちながら取り組んでいるという事例が報告されている。

　また，「オンライン診療」の初期の段階においては，利用者の技術的な問題により，スピーカーを「ON」にしておらず，手話通訳者を通じて伝えるはずの症状が医師に伝わらなく困惑したということも報告されている。

4．視覚障害者の現状

　視覚障害者の場合，普段から「もの」を手で触って確認するということが習慣化されているため，以下のような事例も報告されている。買物をする際には，「もの」を触って，その「もの」を確認するため，感染のリスクが高まるということや通院の際，サポートをする「ガイドヘルパー等」は，濃厚接触者となるため，上記の聴覚障害者のサポート同様に 1 回「通院サポート」をした際には，その後約 2 週間の間隔をあけながら取り組むため，聴覚障害者をサポートする手話通訳者と同様のもどかしさも感じている。その一方で，「ガイドヘルパー等」を確保するという意味において，マンパワーの問題も挙げられている。

（東京通信大学　助教）

参考文献

1）権利擁護研究会編『ソーシャルワークと権利擁護－"契約"時代の利用者支援を考える』中央法規出版　2001

2）袖井孝子「利用者本位の視点から」『老年社会科学』第23巻第3号　2001

3）藤田則貴「第8章　グループホーム」伊藤重夫・結城康博　編集代表『シリーズ　介護施設安全・安心ハンドブック第3巻　介護施設と法令順守』ぎょうせい，2010

4）社会福祉士養成講座編集委員会編『新・社会福祉士養成講座14　障害者に対する支援と障害者自立支援制度　第5版』中央法規，2015

5）藤田則貴「第3章第3節　介護施設における権利擁護－契約時におけるアンケート結果を基にして－」実践社会学研究会編『実践社会学を創る』日本教育財団出版局，2016

6）藤田則貴「第9章　障害者福祉　－障害者の権利擁護の視点を中心にして－」結城康博・河村秋・大津唯　編著『わかりやすい　社会保障制度～はじめて福祉に携わる人へ～』ぎょうせい，2018

7）厚生労働省『令和元年　厚生労働白書』2019

8）内閣府『令和2年版　障害者白書』2020

第6章　児童福祉について

小松仁美

1．児童福祉と児童福祉法

　日本において，児童福祉の制度は，児童福祉法を基本として様々な行政機関や施設，また，そこで働く専門職によって支えられている。

　児童福祉法は，第二次世界大戦により大量に生み出された戦災孤児をはじめとする困窮する子どもの保護，救済などを図るために，1947（昭和22）年に制定された。子どもの健やかな成長と最低限度の生活を保障する児童福祉法制定以降も，戦後間もない混乱期には，生活再建が優先され，子どもの福利はおざなりとなってしまった。このことから，すべての児童の幸福を図るために，「児童憲章」が1951（昭和26）年に定められた。

　我が国の児童福祉制度は，これらを拠り所として発展してきた。児童福祉は，歴史的経緯から「保護者のない児童または保護者に監護させることが不適当であると認められる児童」，つまり，保護や支援を必要とする子どもを主な対象者とした，特に施設における社会的養護の施策が中心となってきた。

　しかし，近年では，急速に進行する少子高齢化や，児童虐待の相談件数の急増などを受けて，全ての家庭において子どもが健全に育成されること，また，子どもを生み育てやすい社会環境の整備といった施策がとられるようになってきている。そこで，本章では，少子化と児童虐待を中心として，児童福祉について考えたい。

2．進行する少子化とその対策

　急速に進行する少子高齢化の流れに対する（図6－1参照），主だった少子化対策の流れを以下ではみておきたい。

　少子化施策は，1989（平成元）年の合計特殊出生率が1.57と過去最低を記録したいわゆる「1.57ショック」を起点としている。少子化により，子どもの自主性や社会性を育みがたく，いじめ問題が顕在化するなど子どもの育ちの課題が浮き彫りとなったことや，年金問題，労働力人口の不足による国際競争力の低下などが懸念されるようになった。

　これを機に，1994（平成6）年には，我が国における最初の総合的な少子化対策となる「エンゼルプラン」が策定された。仕事と子育ての両立に向けた雇用環境の整備や，保育所の増設，延長保育，地域子育て支援センターの整備等の保育サービスの拡充などが図られた。1999（平成11）年には「新エンゼルプラン」が策定され，保育サービスの拡充以外にも，雇用，母子保健・相談，教

図6－1　日本の出生数と合計特殊出生率の推移

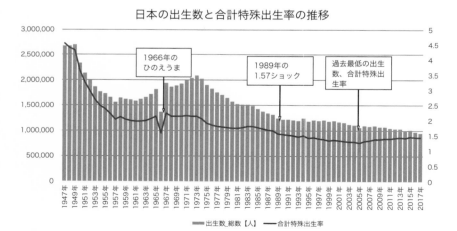

https://www.e-stat.go.jp/dbview?sid=0003214664
資料）『人口動態調査 人口動態統計 確定数 出生』より筆者作成。

74

育等の事業が加わった。しかしながら、1990年代の少子化対策は全体としては、仕事と子育ての両立支援の観点から、保育に関する施策が中心であった。

　2002（平成14）年には、家庭や地域の子育てする力が低下しているなか、保育に関する施策だけでは子育てをする家庭を支えられないことから、「男性を含めた働き方の見直し」、「地域における次世代支援」、「社会保障における次世代支援」、「子どもの社会性の向上や自立の促進」という4つの柱が打ち立てられ、社会全体が一体となって子どもの育成に携わる総合的な取組を進める「少子化対策プラスワン」がまとめられた。

　「新エンゼルプラン」や「少子化対策プラスワン」などを踏まえて、2004（平成16）年には、「少子化社会対策大綱に基づく具体的実施計画」いわゆる「子ども・子育て応援プラン」が決定され、国が、地方自治体や企業等とともに計画的に取り組む必要がある具体的な施策内容と目標数値が掲げられた。

　このように少子化対策を講じてきたものの、2005（平成17）年には日本の人口動態は統計を取り始めて以来、初めて出生数が死亡数を下回り、総人口が減少に転じた。子育て支援策の強化がより一層求められるようになり、2006（平成18）年には、社会全体の意識改革と、子どもと家族を大切にする観点からの施策を拡充する「新しい少子化対策」が決定された。妊娠・出産から高校・大学生期に至るまで、子どもの成長に応じたニーズに対応して、すべての子育て家庭が支援されるようになった。生後4ヵ月までの全戸訪問、いわゆる「こんにちは赤ちゃん事業」が開始されるなどした。これにより、少子化社会対策関係予算は大幅に増額されることとなったものの、社会保障費全体に占める少子化対策の関連支出は高齢者対策とは比べ物にならないほど低いまま押さえられている。

　2010（平成22）年には、チルドレン・ファーストを掲げ、これまで家族や親が子育てを担うとしてきた価値を、社会全体で子育てを支えるという価値に移行すべく、子ども・子育て支援の総合的な対策である「子ども・子育てビジョン」が策定された。これにより少子化対策そのものが、「子ども・子育て支援」へ考え方を転換され、子育てを応援する社会の実現を目指されるようになった。

　こうした取り組みが徐々に結実し、合計特殊出生率は2005（平成17年）年に

1.26まで下がった後，2015（平成27）年には1.45まで上昇し，2017年には1.43に
まで回復した。とはいえ20〜30代の女性の人口減少などを背景に，出生数は減
少の一途をたどっており，2016（平成28）年には97万6,978人と100万人を下回
った。少子高齢化の流れは加速的になっている。

3．児童虐待と児童福祉の制度・施策

1．児童虐待と子どもの権利条約

　少子化が日本の経済・社会に大きな影響を及ぼす課題として取り上げられる
ようになった1990（平成2）年，同じく社会問題として認識されるようになっ
たのが児童虐待であった。子どもの人数が減少する一方で，児童相談所におけ
る児童虐待相談対応件数は，1990（平成2）年の1,101件から，2000（平成12）
年には17,725件，2010（平成22）年には5万6,384件，2018（平成30）年の15万
9,850件（速報値）に至るまで増加の一途をたどっている（図6−2）。

図6−2　児童虐待相談対応件数の推移

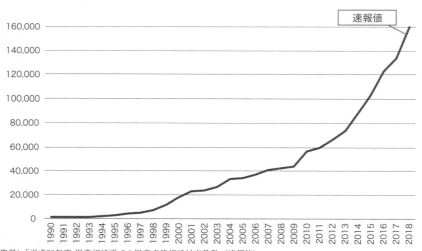

資料）「平成30年度 児童相談所での児童虐待相談対応件数〈速報値〉。
　　　（https://www.mhlw.go.jp/content/11901000/000533886.pdf）より筆者作成。

1989（平成元）年に国連総会で採択された「子どもの権利条約」においては，児童の権利擁護，児童虐待に対する国家の責任強化を伴っていたことから，日本の批准は1994（平成6）年となった。国内法の整備を伴い同条約への批准する一方で，子どもへの暴力はしつけではなく虐待や犯罪であるとの認識が広まっていったことやニュースとして児童虐待が取り上げられたこともあり，児童虐待相談対応件数は急増しつづけた。

2．児童虐待と児童福祉法の大幅な改正

　こうした状況から，1997（平成9）年，児童福祉法は制定されて以降，50年ぶりに大幅に改正されるに至った。子どもの自立支援や権利擁護の視点が明確化され，入所措置を行う際の客観性や専門性の確保と向上，地域における相談体制の拡充などが推進された。また，保育所については市町村の措置による入所から保護者が選択する仕組みに変わり，児童福祉施設の名称が変更されるなどした。

　この改正により，児童虐待防止や社会的養護に関する施策が推進されることとなり，さらに，2000（平成12）年には，「児童虐待の防止等に関する法律（児童虐待防止法）」が制定された。これにより，父母や児童養護施設の施設長などの保護者による子どもに対する，身体的虐待，性的虐待，ネグレクト，心理的虐待の四種類が児童虐待の定義として明文化された。児童虐待の防止に関する国及び地方公共団体の責務，児童虐待を受けた児童の保護のための措置等を定めており，早期発見・早期対策，児童相談所の機能強化，児童家庭支援センターの拡充，児童養護施設の充実など児童虐待に関する施策が強化された。

　しかし，児童虐待に関する相談対応件数は年々増加し続け，2004（平成16）年には児童福法が改正され，子ども家庭相談に関して市町村が第一義的機関として位置付けられた。

3．子どもの権利条約と施設における社会的養護

　日本の社会的養護は，戦後処理の一環として困窮児童の保護，救済などを図るために制定された児童福祉法のもと制度化されてきた。孤児や棄児を保護養

育するために，施設養護が中心であった。戦後復興，高度経済成長を経て，現在の社会的養護の主たる対象者は，孤児や困窮児童ではなく，適切な家庭環境にない，児童虐待により保護される子どもへと変わった。しかし，施設養護を中心とする社会的養護の在り方は変わらなかった。

　他方で，世界的には子どもは家庭において養護することの重要性から，社会的養護は養子縁組や里親制度などの活用が中心となっている。「子どもの権利条約」の第20条には，子どもが家庭で育つ権利の保障が規定されており，代替的な監護も家庭的な環境で行われることが権利として保障されている。社会的養護は，施設養護ではなく家庭養護を中心とすることが定められている。長らく施設養護を中心としてきた日本は，子どもの権利委員会から1998（平成10）年，2004（平成16）年と2回にわたり勧告を受けてきた。

　国際的な子どもの権利擁護にかかる動向もあり，2008年には児童福祉法が再度，改正された。小規模居住型児童養育事業（ファミリーホーム）が規定され，里親についても法的に養育里親と養子縁組里親が分けられた。児童養護施設や乳児院には，親子関係の調整や子どもの家庭への再統合支援などを行う家庭支援専門相談員（ファミリーソーシャルワーカー）が配置されるようになった。

　しかしながら，社会的養護がなおも施設養護を中心としていたことから，2010（平成22）年に，日本は子どもの権利委員会から3度目の勧告を受ける。

　加えて2009（平成21）年には国連に「児童の代替的養護に関する指針」が提出された。この指針には，まずもってすべての子どもが実の両親の養育を受けられるよう，それが難しい場合はその他の近親者の養育のもとに留まるか，戻ることができるように力を尽くすべきとして，国はそのための家族への支援を行うなどが一般原則に定められている。また，3歳未満の代替的養護は家庭を基本とすることや，兄弟姉妹の分離を防止することなど，特別な場合にのみ施設での養護を限定するなどが定められている。

　こうした流れを受け，2011（平成23）年には「社会的養護の課題と将来像」において，里親やファミリーホームなどの家庭養護を優先する方向性が示されるとともに，施設養護においては家庭的養護，つまり小規模グループケアやグループホームなど施設を家庭的な養育環境へと転換させていくよう提言され

た。2012（平成24）年には厚生労働省が「児童養護施設等の小規模化及び家庭的養護の推進について」を通知し，施設の小規模化の推進が打ち出された。

4．施設養護から家庭養護へ

　2016（平成28）年，さらに児童福祉法が改正され，子どもが権利の主体として位置づけられ，児童福祉法の理念が明確化された。また，深刻化する児童虐待の防止対策の強化にむけて，児童虐待の発生予防，児童虐待発生時の迅速・的確な対応，被虐待児童への自立支援などが示された。

　社会的養護においては，「家庭における養育環境と同様の養育環境」において継続的に養育されるよう，また，児童ができる限り「良好な家庭的環境」において養育されるよう，必要な措置を講ずるとされており，第一義的には，養子縁組による家庭，里親家庭，小規模住居型児童養育事業（ファミリーホーム）の活用が推奨され，次いで，施設のうち小規模で家庭に近い小規模グループケアやグループホームなどの活用がすすめられている（第3条の2）。家庭養護，家庭的養護が推進されているのである。

　この改正された児童福祉法の理念を具体化するため，2017（平成29）年には「新しい社会的養育ビジョン」が提示された。すべての子ども家庭を支援するため，市区町村におけるソーシャルワーク体制の構築と支援メニューの充実を図るとし，具体策として保育園の質の向上および子ども家庭支援として，保育士の増員やソーシャルワーカーや心理士の配置等を目指している。これにより，子どもが家庭にいることが維持されることを目指している。また，社会的養護においては，施設養育から家庭養育への移行の徹底を図るため，虐待の危険が高いなどで集中的な在宅支援が必要な家庭には，児童相談所の在宅指導措置下において，市区町村が委託を受けて集中的に支援を行うことが目指され，親子分離しないケアの充実を図るとされている。他方で，親子分離が必要な場合には，代替養育は家庭での養育を原則とし，高度に専門的な治療的ケアが一時的に必要な場合には，子どもへの個別対応を基盤とした「できる限り良好な家庭的な養育環境」を提供し，短期の入所を原則とするとしている。積極的に脱施設化を目指されているといえよう。

4．児童福祉施策の今後

　日本の児童福祉は，戦後処理の一環として困窮児童の保護，救済などを図るために制定された児童福祉法のもと制度化されてきた。孤児や棄児を保護養育するために，社会的養護は，施設を中心として実施された。戦後復興，高度経済成長を経て，少子高齢化が急速に進む現在，子どもをいかに産み，社会を担う次世代の人材として育成していくかが課題となるなか，育児の困難や孤立，課題を抱える家族は少なくない。家庭内における児童虐待は増加しており，現在の社会的養護の主たる対象者は，適切な家庭環境にない，児童虐待により保護される子どもである。

　子どもの権利の観点から，こうした子どもをいかに生み出さないように，家庭の中で支えるかに加えて，社会的養護を必要とする子どもが施設ではなく家庭の中で養護されるよう，制度施策は転換期を迎えている。保育士や相談援助者の拡充といった児童虐待の予防から，里親や養子縁組の普及促進，ファミリーホームの活用が進められているが，脱施設化には人々の意識の変化や家庭養護の実践者の増員とそのケアなどが課題として残っている。

　また，少子化傾向が続く現代，予算，制度，人員配置の拡充を含めて，子育てしやすい社会であり，安心して産むことのできる社会の実現に向けた取り組が必要とされるであろう。

（東洋大学非常勤講師）

参考文献

1）金仙玉（2018）「改正児童福祉法における社会的養護の今後の課題－児童福祉と子育て家庭支援の観点から」『瀬木学園紀要』12；31-38.
2）小松隆二（1983）「日本における児童福祉の成立」『三田学会雑誌』vol.76，No.2; 187-206.

３）厚生労働省「平成30年度 児童相談所での児童虐待相談対応件数〈速報値〉」2020.8.13参照. https://www.mhlw.go.jp/content/11901000/000533886.pdf.

４）内閣府「（4）少子化対策」『第 2 章 人口・経済・地域社会の将来像』2020.8.13参照.
https://www5.cao.go.jp/keizai-shimon/kaigi/special/future/sentaku/s2_4.html.

５）内閣府「第 1 節 これまでの少子化対策」『第 2 章 少子化対策の取組』2020.8.13参照.
https://www8.cao.go.jp/shoushi/shoushika/whitepaper/measures/w-2007/19webhonpen/html/i1211100.html#:～:text=１%201990% E5% B9% B4% E3%81% AE1.57,% E8% A1%9D% E6%92%83% E3%82%92% E6%8C%87% E3%81%97% E3%81% A6% E3%81%84% E3%82%8B% E3%80%82

６）e-Stat「年次別にみた出生数・率（人口千対）・出生性比及び合計特殊出生率」『人口動態調査 人口動態統計 確定数 出生』2020.8.13参照.
https://www.e-stat.go.jp/dbview?sid=0003214664

７）社会保障審議会児童部会社会的養護専門委員会「社会的養護の課題と将来像」2020.8.13参照.
https://www.mhlw.go.jp/bunya/kodomo/syakaiteki_yougo/dl/08.pdf.

８）新たな社会的養育の在り方に関する検討会「新しい社会的養育ビジョン」2020.8.13参照.
https://www.mhlw.go.jp/file/04-Houdouhappyou-11905000-Koyoukintoujidoukateikyoku-Kateifukushika/0000173865.pdf.

第7章　福祉政策と財政の仕組み

結 城 康 博

1．社会保障費と福祉費

1．2020年度予算

　福祉政策は，財政状況を把握する必要があり，まずは「社会保障費」の実態を見ることが重要である。ただし，厳密に「社会福祉制度」と「社会保険制度」とでは，会計の仕組みが異なるため，その区別をしっかりと見極める必要がある。「社会福祉制度」は，主に税金で賄われているが，「社会保険制度」は保険料と税金によって運営されている。

　なお，2020年度予算において，一般会計の歳出総額は102兆6580億円となっており，その中でも社会保障関連費が35兆8608億円と，もっとも高いウエイトを占めている（表7−1）。

2．社会保障給付費

　そもそも，「社会保障給付費」という言葉があるが，この「給付」という言葉が重要だ。「社会保障給付費」は，ILO（国際労働機関）の基準によって，社会保障全般の一年間に費やされた金銭またはサービスの合計額である。つまり，患者や利用者の自己負担を除いた経費と考えていい。

　ただし，その財源は既に述べたように，主として「税金」と「社会保険料」で賄われており，必ずしも国の財布である「一般会計」の社会保障費と同じではない。しかも，税金の部分は，自治体の負担分も含まれている。

　なお，2019年度「社会保障給付費」は，約124兆円であり，その内訳をみると，

表 7 - 1　2020年度一般会計による歳出予算の内訳

(単位：億円)

	令和元年度予算 （当初）	令和2年度予算	増減額	増減率	備考
一般歳出	599,359	617,184	＋17,825	＋3.0%	
社会保障関係費	340,627	358,121	＋17,495	＋5.1%	
文教及び科学振興費	53,683	53,912	＋229	＋0.4%	
うち科学技術振興費	13,378	13,565	＋187	＋1.4%	
恩給関係費	2,097	1,750	▲347	▲16.6%	
防衛関係費	52,066	52,625	＋559	＋1.1%	中期防対象経費：＋1.1%
公共事業関係費	60,596	60,669	＋73	＋0.1%	
経済協力費	5,021	5,123	＋102	＋2.0%	
（参考）ODA	5,566	5,610	＋45	＋0.8%	一般会計全体のODA予算は5年連続の増
中小企業対策費	1,740	1,723	▲17	▲1.0%	景気回復を反映した信用保証制度関連予算の減：▲27億円　等
エネルギー対策費	9,104	9,008	▲97	▲1.1%	エネルギー特会の剰余金等の増加を踏まえた繰入の減：▲81億円　等
食料安定供給関係費	9,816	9,832	＋17	＋0.2%	
その他の事項経費	59,609	59,422	▲188	▲0.3%	
予備費	5,000	5,000	－		
国債費	235,082	233,515	▲1,567	▲0.7%	金利の低下による利払費の減等
地方交付税交付金等	159,850	158,093	▲1,758	▲1.1%	一般財源総額を前年度と実質的に同水準を確保。
合計	994,291	1,008,791	＋14,500	＋1.5%	

資料）財務省「令和2年度予算のポイント」5頁より。
　　　https://www.mof.go.jp/budget/budger_workflow/budget/fy2020/seifuan2019/01.pdf

「医療」，「年金」，「福祉その他」に大きく分類できる（第1章：図1－1参照）。ただし，この「福祉その他」のうち半分近くは，介護保険関連の費用である。

2．自治体における福祉財政は「民生費」を見る

1．民生費の実態

　それでは，都道府県や市町村の福祉関係費を理解するには，どうすればよいのだろうか。それにはまず，一般会計（普通会計）における「民生費」部門を確認することが重要だ。そして，自分の住んでいる自治体の民生費の額を調べておくべきである。

　しかし，「国民健康保険制度」「介護保険制度」などは特別会計となっており，通常の福祉サービスである「民生費」とは異なる。そのため，「一般会計」と

表7－2　地方財政における歳出部門別割合（2018年度）

＜目的別歳出の状況＞

（単位：億円、％）

区　　分	平成30年度		平成29年度		比較	
	決算額	構成比	決算額	構成比	増減額	増減率
総務費	92,860	9.5	91,219	9.3	1,640	1.8
民生費	256,659	26.2	259,834	26.5	▲ 3,175	▲ 1.2
うち災害救助費	1,893	0.2	2,990	0.3	▲ 1,097	▲ 36.7
衛生費	62,367	6.4	62,626	6.4	▲ 259	▲ 0.4
労働費	2,488	0.3	2,628	0.3	▲ 141	▲ 5.3
農林水産業費	32,517	3.3	32,992	3.4	▲ 475	▲ 1.4
商工費	47,603	4.9	49,010	5.0	▲ 1,407	▲ 2.9
土木費	118,806	12.1	119,195	12.2	▲ 388	▲ 0.3
消防費	20,012	2.0	20,062	2.0	▲ 50	▲ 0.3
警察費	32,982	3.4	32,604	3.3	378	1.2
教育費	168,782	17.2	168,886	17.2	▲ 104	▲ 0.1
災害復旧費	10,394	1.1	8,448	0.9	1,945	23.0
公債費	123,674	12.6	126,753	12.9	▲ 3,080	▲ 2.4
うち臨時財政対策債元利償還額	34,379	3.5	32,080	3.3	2,299	7.2
その他	11,062	1.0	5,727	0.6	5,337	93.2
歳出合計	980,206	100.0	979,984	100.0	222	0.0

資料）総務省「令和 2 年版地方財政の状況の概要（平成30年度決算）」7 頁より。
　　　https://www.soumu.go.jp/main_content/000675973.pdf

「特別会計」の扱っているサービス項目を知っておく必要がある。

　2018年度（平成30年度決算）の全国自治体の一般会計における歳出総額は約98兆円だったが，その26.2％を「民生費」が占めている（表7－2）。具体的な民生費の内訳としては，福祉サービス経費として「社会福祉費（老人・障害者等）」「児童福祉費（子供の医療費，保育所経費等）」「生活保護費」などが挙げられる。

2．民生費の内訳

　2017年度（平成29年度）における民生費の決算額は25兆9,834億円であった。そのうちの歳出総額に占める割合は目的別の内訳をみると，児童福祉費が最も大きな割合（民生費総額の32.8％）を占め，以下，障害者等の福祉対策や他の

表7－3　民生費目的別歳出の内訳（平成29年度決算）

（単位　百万円・％）

| 区　分 | 平成29年度 | | | | | | 平成28年度 | | 比　　　較 | | |
	都道府県		市町村		純計額		純計額		増減額	増減率	前年度増減率
社会福祉費	2,589,805	32.1	5,501,124	26.0	6,886,258	26.5	7,153,565	27.2	△ 267,307	△ 3.7	8.5
老人福祉費	3,200,052	39.6	3,809,644	18.0	6,281,416	24.2	6,219,299	23.6	62,117	1.0	1.3
児童福祉費	1,725,738	21.4	7,945,822	37.5	8,523,255	32.8	8,152,603	31.0	370,652	4.5	3.4
生活保護費	246,517	3.1	3,786,290	17.9	3,993,497	15.4	3,993,921	15.2	△ 424	△ 0.0	△ 0.9
災害救助費	310,454	3.8	126,817	0.6	298,971	1.2	821,367	3.1	△ 522,396	△ 63.6	34.5
合計	8,072,566	100.0	21,169,696	100.0	25,983,397	100.0	26,340,756	100.0	△ 357,359	△ 1.4	4.3

総務省「平成31年版地方財政白書（平成29年度決算）」より

福祉に分類できない総合的な福祉対策に要する経費である社会福祉費（同26.5％），老人福祉費（同24.2％），生活保護費（同15.4％），の順となっている（表7－3）。

３．生活保護費について

　現在，生活保護費における財源構成は，国が４分の３，市が４分の１（町村は都道府県が負担）の負担となっている（図7－1）。以前，小泉政権の三位一体改革でこの割合を国が２分の一，市と都道府県で４分の１ずつといったように変更される動きがあったが見送られた。

　また，生活保護費を受給している人が転居しづらい背景としては，この４分の１の市の負担が関連している。つまり，市外から引っ越してくると，当該の市の負担が増えるからだ。

４．認可保育園の運営費

　認可保育園の運営費における負担は，　基本的に国が２分の１，都道府県が４分の１，市町村が４分の１となっている。しかし，自治体によってはサービスを拡充するために，さらなる経費を投入している場合があり，地域によって保育料が違う。自分の住んでいる自治体が，多く経費をかけていると保育料が低くなる。

図7－1　福祉関連施策事業の財源構成図（平成29年度予算ベース）

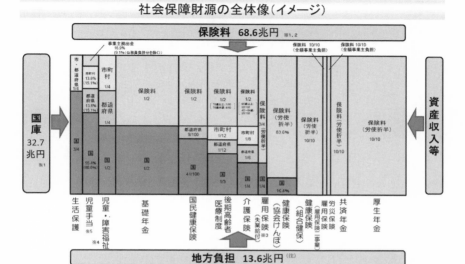

資料）財政制度分科会「社会保障について」2018年4月18日20頁。
　　　https://www.mof.go.jp/about_mof/councils/fiscal_system_council/sub-of_fiscal_system/proceedings/
　　　material/zaiseia300411/01.pdf

5．子どもの医療費無料化

　多くの自治体では，少子化対策といって「中学生まで医療費無料」といった独自の施策を展開している地域がある。とくに，大都市では高齢化が進み，少子化対策は急務なため，子育て世代のファミリーに住んでもらいたいと，各自治体も努力している。

　ある大都市の小児科医と話をした際，「昨今，小児医療分野の苦労が報道されているが，あまり「患者（親）のモラル欠如」については話題にならないので，ぜひ，何かの機会にふれてほしい」，と言われた。

　この小児科医が診療している自治体は，通常は三歳未満までは無料だが（乳幼児医療費助成制度），中学生まで無料といった上乗せサービスを実施し，健康保険証等で受診が全て済んでしまうらしい。本来，中学生まで医療費を無料にしている自治体でも，患者は窓口でいったんは自己負担額を支払い，二ヵ月

後に登録した通帳に振り込まれるといったシステムが一般的だ。この自治体は，きわめて住民に配慮した仕組みを導入しており，少子化対策の一環として住民にとって有難い制度だ。

　しかし，その小児科医によると，この制度があるために，ほとんど問題がない子どもらまでもが受診に来てしまい，中には単に湿布やうがい薬などを手に入れるために来院するケースも少なからずあるという。薬局で購入すると1000円以上の費用がかかるが，医療機関へ受診すれば保険証をみせるだけで無料になるからだ。

　しかも，夜間小児科（深夜）といって緊急時のための受診システムを，「少し，熱っぽい」程度の理由で受診する親子も少なくないという。夜間小児科（深夜）は，昼間よりもかなり医療の値段が高く設定されているが，自己負担額が無料であれば親にとっては全く関係ない。しかも，夜間の受診理由としては，昼間に来ると1～2時間以上待たされることが多いが，深夜だと待たされず，しかも共働きだと会社を休む必要がないからだと当然のように答えるという。しかしそれでよいのだろうか。

　このように，医療費が全く無料になると，本当は必要でなくとも安易にサービスを使う患者が多くなり，本当に必要な人が不自由をきたすことになる。この小児科医の話は，高齢者の場合にもあてはまる。かつて，老人医療費が無料だった時代があったが，モラルに欠けた高齢者が増えてしまい，医療費が増えてしまった経緯がある。その意味では，「医療費が無料」というのは，単純には喜べないのかもしれない。

6．児童扶養手当

　母子家庭（離婚の場合，死別は遺族年金が支給される）の世帯に対して所得制限はあるものの，一定の社会手当てが支給される。2010年度からは父子家庭に対しても支給されるようになった。この事業の財源構成は，国が3分の1，都道府県もしくは市が3分の2となっている（町村は都道府県が負担する）。

図7－2　介護保険制度の財政構成（平成31年度予算ベース）

資料）厚生労働省資料より筆者が作成。

7．障害者総合支援法による障害者福祉サービス

　障害者総合支援法によるサービスの財源構成は，基本的には国が2分の1，市町村が4分の1，都道府県が4分の1となっている。ただし，地域ごとにサービスを拡充する場合は市町村の自治体の上乗せした財源が必要となるため，かなりの格差が生じる。いわば住民意識が高く，財源に余裕のある地域はサービス水準が高い。

　そのため，障害者福祉サービスの水準を上げるには，自治体の「お金」を民生費部門にシフトしていないと実現されない。法律で国の負担分は決まっているのだから，当面は自治体で負担しないとサービスは拡充しないのである。

8．介護保険財政

　介護保険の財政構成は，利用者の自己負担を除けば，約50％が税金で，残り50％は介護保険料から賄われている。そのうち税金負担分は25％が国で，12.5％ずつが都道府県と市区町村の負担である（施設の場合は，都道府県負担分が17.5％）。また，介護保険料の負担割合は，65歳以上である第1号被保険者分が23％，40歳以上65歳未満の第2号被保険者が27％となっている（図7－2）。

　このように介護保険制度は，「保険制度」とはいえ，約半分は税金によって賄われており，純粋な保険制度とはいえない。しかし，いずれにしても，年々，介護保険財政は伸び続けており，国や自治体においては大きな負担となる。今後の保険料や公費の行方に注目する必要がある。

9．特別養護老人ホームの設置費用

　特別養護老人ホームを新設するにあたって2005年度までは，国が二分の一（国庫負担），都道府県が4分の1，設置者（社会福祉法人）が4分の1という財源構成であった。しかし，小泉政権下における三位一体改革（地方への財源移譲）によって，国の負担が，四分の一前後に減額された（国庫負担から地方交付税に移譲して一般財源化）。そして，その差額は，施設側の減価償却費（借金）として据えられ，ユニット型個室料という名目で利用者から徴収して，その返済に充てる仕組みになった。

　そうなると，4人部屋では，多くの利用料を徴収できないため，どうしても新設の特養は，ユニット型個室化になってしまう。ただし，市区町村などの助成があれば，その差額を補填することが可能で，一部，4人部屋（多床室）の特養新設もなされていた。

　ただし，2009年5月以降，国も，特養新設に際しては4分の1以上の予算措置を行い（地方交付税の上乗せ），都道府県が認めれば，4人部屋の新設を構わないという方針を打ち出し，以前と比べると，多少，状況が変わっている。高齢者施設でもっとも人気のある特別養護老人ホームが増えるか否かは，今後の福祉財政次第といえるだろう。

10．後期高齢者医療制度

　後期高齢者医療制度は，75歳以上を対象とした医療制度で，保険者は都道府県単位の「広域連合」である。だから，保険者は市町村でも都道府県でもない。

　ところで，「広域連合」とはなんだろう。これは，1994（平成6）年地方自治法改正により規定された特別地方公共団体のことを指していて，都道府県，市町村，特別区が設置することができる。よく総合的なゴミ処理行政を複数の市区町村と協同して推進していく手法として知られている。広域連合も一種の地方自治体であるから，議会も設けられ，広域連合会長が首長の役割を担っている。

　後期高齢者医療制度の公費負担割合は，窓口自己負担分を除いて計算すれば約5割であり，その内訳は（国：都道府県：市区町村＝4：1：1）である（図

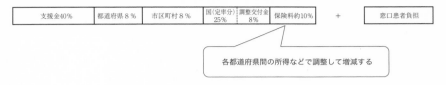

図7-3　後期高齢者医療制度の財源構成

| 支援金40% | 都道府県8% | 市区町村8% | 国(定率分)25% | 調整交付金8% | 保険料約10% | ＋ | 窓口患者負担 |

各都道府県間の所得などで調整して増減する

7－3）。

3. そもそも財政とは

1. 財政とは

　福祉政策におけるサービスは，財政問題とは切り離せない。福祉サービスを拡充するには，どうしても費用がかかる。その原資となるのが税金や保険料である。つまり，福祉と「お金」の関係を論じるには，税金と保険料など財源の調達方法を考えることが重要だ。そのため，行政組織における財政用語を学ぶ必要がある。以下に，挙げた財政用語は，基本的なものなので頭の中に入れておく必要がある。

　そもそも，行政用語では，資金の調達や管理を「財政」という。国や自治体が行政サービスや施策を実行するための費用を調達し支出・管理することと理解してよい。だから，一般的に「財政出動」といった場合，借金をしてでも，役所の「お金」を費やして事業を展開する。不景気には「財政出動」によって景気浮揚を目指すのである。いっぽう，「緊縮財政」といった場合には，国や自治体における借金が多いため，役所の支出を減らすことを意味する。

2. 予算とは

　予算とは，国や自治体の「収入」と「支出」を予想する見積書と理解していい。通常，年度前に作成することになっており「当初予算」もしく「本予算」と呼ばれる。

　なお，当初予算が最終的にどのように使用されたかをチェックするのが「決

算」だ。「予算」の段階でのお金の額は注目されがちだが，無駄使いなどを監視するには実は「決算」が重要である。「予算」は単年度ごとで作成するので，年内に使わないと，各省庁や部署がもったいないと勘違いし，無駄な費用を使うことがある。その意味では，市民の監視が重要となる。

3．予算の流用

しかし，予算の「流用」といった役所の「お金」の使い方もある。例えば，当初，見積もった高齢者サービスの利用が多すぎて，年度内で費用が足らなかったとしよう。そうしたら，「残りの二ヵ月間は，このサービスは予算がないので利用できません」といったことは許されない。

その場合，担当部署が管轄している他の高齢者部門の使われていない経費を「流用」するのである。もちろん，そのサービス経費は文字通り「流用」されてしまうのだが，まずは足りないサービス部門を優先にして対応する仕組みが「流用」だ。市民も予算の「流用」という仕組みは，承知しておくべきだろう。

4．一般会計（普通会計）とは

国や自治体の会計（財布のようなもの）には，「一般会計（普通会計）」と「特別会計」の二種類がある。「一般会計」とは，通常の収入と支出を扱う会計だ。一般行政サービスを実行するための，いわば「役所の財布」である。

新しい福祉サービスを設けるには，この一般会計に予算を盛り込まないと実現されない。また，既存のサービスを増やしたいのであれば，一般会計の予算を増やしていく必要がある。一般会計の財源としては，税収，印紙収入，公債（国債や地方債）などが挙げられる。

5．特別会計とは

かつて官僚の天下り問題が話題にされ，政府の無駄使いの温床が「特別会計」だと指摘される。国の会計は「一般会計」と「特別会計」を合計すると，重複分を除いても約200兆円以上にのぼる。一般的に「特別会計」は，特定の事業を行うための会計で，福祉に関して言えば社会保険制度といった「年金」「医療」

「雇用保険」「介護保険」などと大きく関連する。

　とくに，市町村の特別会計では「国民健康保険」「介護保険」「公営企業会計」といった特別会計が重要で，医療や介護サービスに大きく関連する。たとえば，国民健康保険制度の「特別会計」の収支状況によって，地域で保険料が異なるのだ。介護保険制度でも同様であり，しかも，介護保険特別会計の予算が増えなければ，介護サービスは拡充しない。なお，「公営企業会計」は公立病院に関するものが含まれる（水道事業なども）。

６．国債と地方債

　「国債」とは国が発行する借金で，国民がそれを購入すると，後で国が利子をつけて購入者に返してくれるのだ。いわば国が国民に借金する仕組みと理解していい。一般市民は，銀行や証券会社などで国債を購入でき，通常の預貯金より利息が高い。

　いっぽう，「地方債」は，自治体が行う借金で，通常，利率や返済などは総務大臣または都道府県知事と協議しなければならないことになっている。

７．地方交付税交付金とは

　北海道や沖縄県と，東京都などの大都市圏と比べると，当然，地方のほうが税収は少なく財政的に厳しい。そのため，「地方交付税交付金」という仕組みがあり，このような自治体間の財政格差を是正するために，国の税金を各自治体の財政状況に応じて配分している。各自治体の歳入は，平均すると20％弱が「地方交付税交付金」となっている。

　ただし，裕福な自治体は「不交付団体」となり，地方交付税は国から交付されない。なお，その交付された額の使い道は各自治体の裁量に任されている。

８．一般財源と特定財源

　「一般財源」とは，歳入において使い道が最初から決まっていないものを意味する（自治体が自由に使える）。「地方税」や「地方交付税交付金」などが挙げられる。いっぽう，「特定財源」は，国などからの歳入で，使い道が最初か

ら決まっており道路や建設事業の補助金，公立学校の教員給料などが挙げられる。

9．国庫補助負担金とは

しばしば「ひも付き補助金」とも呼ばれ，その使い道が決まっており自治体が自由に使えない補助金が「国庫補助負担金」だ。福祉に関する費用は国庫補助負担金が多い。とくに，各福祉施設を建てる際は，「国庫補助負担金」による項目が多い（国からの補助金）。地方分権の立場からは「廃止」が叫ばれている。

なお，「国庫補助負担金」には「国庫負担金」と「国庫補助金」という二種類に分けられる。「国庫負担金」は，法律で国の支出が義務付けられている。いっぽう，「国庫補助金」は，国が奨励する各事業に補助金が交付されるもので，「福祉」分野においても定着している施策が多い。

なお，その他に「県支出金」というものがあるが，これは市町村などが行う事業で県が交付する補助金を意味する。国庫補助負担金と同様に使い道が限定されており，「県負担金」「県補助金」に分けられる。

4．利用者負担の仕組み

1．利用者負担について

なお，福祉政策において，サービスを提供するにあたっては，利用者から幾ばくか自己負担を徴収する。主に「応能負担」と「応益負担」の二種類に分けられる。

「応能負担」は，経済能力に応じて負担額が異なり，例えば，認可保育園の保育料は親の収入に応じて負担する額が異なる。しかし，「応益負担」は，世帯もしくは個人の経済的負担能力に関係なく，サービスを利用した分，それに応じて負担していく仕組みだ。例えば，介護保険制度は，原則，一定所得以上の者以外は一律1割負担となっている。訪問介護サービスを1時間利用すれば約4000円（身体介護）であるから，自己負担400円となる。月に10回利用すれ

ば，自己負担は約4000円となる。これらの負担額は，各自の経済能力は加味されない。

　このように利用者負担の仕組みには，「応能負担」と「応益負担」の二種類があり，その種別を理解することは，福祉サービスを利用するにおいて重要なことである。

２．個人単位か世帯単位か？

　ところで，年間の婚姻件数も昭和45年（1970年）約103万組から比べると，令和元年（2019年）約58万組と大きく減少傾向にある。現代社会において「結婚」という価値観に捕らわれない人が増えている。なお，当然，少子化の要因の１つとして，この婚姻件数の減少が考えられる。

　現在，日本の家族形態は三世代家族が減少し核家族化と言われながらも，実態は一人世帯が多くなっている。国立社会保障・人口問題研究所が公表した直近の将来推計によれば，2025年の単身世帯（一人暮らし）は，2015年より8.4％増えて1996万世帯になるとみられている（2015年基準推計）。

　しかも，一人世帯が増えるということは不平等さも明確化されていく。例えば，年金制度は，夫の厚生年金と妻の国民年金を併せて約22万円が平均受給モデルとされているが，一人世帯が増えると一人が受給する年金額で老後を暮さなければならず家計が厳しくなる。また，年金の保険料においても専業主婦は保険料が実質免除されているが，そうでない一人世帯の人は，しっかりと納めなければならず両者の負担格差が鮮明となる。

３．負担の不平等さ

　いっぽう医療保険制度においては，毎月，支払う保険料は世帯単位となっており個人単位での制度設計にはなっていない。そのため，個人単位で支払う際の保険料が高く，世帯主以外の世帯員との差が拡充する。財政難が指摘されている社会保障制度において「負担と給付」の実態が，一人世帯と世帯主以外の世帯員と差が生じれば，不平等な社会保障制度と認識され信頼が得られなくなる。

確かに，一昔前は，一人暮らし世帯の割合が低く，しかも，その中には独身の現役世代が多く，いわば独身貴族を楽しむといった経済的に負担の少ない層もいた。しかし，現在の一人世帯は，独居高齢者や非正規雇用者といったように，経済的に厳しく世帯を持てない層が多くなっている。

このように一人世帯が増えていくことが予測される中で，いずれ「負担と給付」を個人単位とする決断を下さなければ，不平等なシステムが拡充するばかりである。

今後，18歳未満の子育て世帯に限っては世帯単位の考え方を維持し，それ以外においては，原則，個人単位で保険料の負担や給付のあり方に，社会保障制度全体を再構築すべきであろう。そして，併せて税制制度などの「扶養」といったシステムも見直していかなければならないであろう。

4．非課税世帯か否かで利用料が変わる！

ある高齢者が介護施設に入居するとしよう！その場合，支払うべき食事や部屋代の額は，入居した高齢者が非課税世帯か否かで違ってくる。

基本的には公的な医療・福祉サービスを利用する場合，普段から支払っている税金や保険料の外に，実際，使う時にも一部の自己負担を支払う。そして，その額は収入や資産によって異なり，その尺度の一つが非課税か否かである。非課税世帯になるか否かの基準は，家族構成や高齢者であるか否かなどによってことなるので，役所の窓口に相談にいってみるといい。それによって，「保育園」「介護施設」「障害者福祉サービス」といった利用料，「国民健康保険制度」「介護保険制度」の保険料に違いが生じてくる。

ここで厳しい例だが，葬儀料を例に，福祉もお金次第の話をしよう。皆さんにも知って頂きたい。

最近，身寄りがない独り暮らし高齢者が増え，しかも年金額が足りなくて生活保護を受給する人たちが増えている。生活保護を受給するには，預貯金や資産が全くないことが前提だが，独居高齢者になると，地域にもよるが，毎月，11万円前後の「お金」が支給される。ただし，年金があり3万円あれば，残りの8万円が生活保護から支給される。しかも，それらに加え，医療や介護保険

といった利用料も無料になる。

　このような身寄りのない人が不運にも亡くなると，誰も葬儀をしてくれず，寂しい葬式になる。そして，無縁仏として葬られるのだ。これらの生活保護受給者に支給される葬儀代は，おおよそ20万円となっている。安いプランで葬儀屋に頼めば，20万円でも可能だからかもしれない。

　私は，福祉現場でしごとをしていた時に生活保護受給者の葬儀に参列したことがあるが，この20万円で火葬から何から何まですべてを行うわけだから，かなり質素な葬儀であった。お坊さんもいない，ただ，遺体を焼き，遺骨にして，皆で，お悔やみをするぐらいである。参列者は，役所関係者と火葬場の係員のみだった気がする。

　高齢者の介護現場では，人生の最期が近い人たちが対象となるため，「死」について考えざるをえない。そのとき，その人の人生が，どうであったかは，葬儀の様子をみれば理解できるかもしれない。多くの人が，弔問に訪れ，その人の「死」を悲しむ。そのような場合は，誰しも，人望のあった方が，亡くなられたと，残念がるだろう！

　しかし，役所における福祉のしごとは，当然，お役所しごとであり，事務的に遂行される。人が亡くなったからといって，基準以上の葬儀代は支給されない。

（淑徳大学総合福祉学部教授）

第8章　保健医療・福祉行政の仕組み

結城康博

1. 「国」「都道府県」「市町村」

1. 行政の役割

　繰り返しになるが福祉サービスは，大きく「社会保険制度」と「福祉制度」「保健制度」に分類できる。これらのサービスは，行政機関が大きく関与している。しかし，行政組織といっても，「国」「都道府県」「市町村」といったように，それぞれ異なる機関である。そのため，各福祉サービスが，どの行政機関が管轄であるかを理解する必要がある。なお，行政組織には，既述の3つの他に，厳密に言えば「広域連合」「一部事務組合」といった形態もある。

　また，東京23区（特別区）も通常の市町村と考えていい。また，横浜市や札幌市のような政令指定都市は，市役所であっても都道府県と同等な権限があるので，実質的には，同じと考えるべきだ。

　地方自治法2条5項によれば，都道府県は「市町村を包括する広域の地方公共団体」とされ，広域にわたる事務や市町村に対して連絡事務などを行うこととなっている。また，市町村ができない補完的な事務も責務としている。

　いっぽう，市町村は住民の身近な事務を行うことになっている。なお，第二次大戦後の1949（昭和24）年5月8日に来日したシャウプ博士を団長とする一行が行った勧告，いわゆる「シャウプ勧告」によって，国・都道府県・市町村間の事務の配分に関して「市町村優先の原則」ということが初めていわれた。

２．地方分権とは

　昨今，マスコミ報道を通じて「地方分権」「地方創生」といったキーワードも耳にすることが多いだろう。

　そもそも「地方分権」とは，簡単に理解すれば，国の裁量権を自治体に譲ることだ。つまり，「お金を地方に渡して，自由に自治体の裁量で行政を動かせる」といったシステムを確立することだ。現在，自治体にもかなり裁量権が与えられてきたが，まだ国の関与が強いと知事たちは思っているのであろう。

　当然，福祉分野においても国（厚生労働省）が決めたルールに縛られて，自治体が自由に施策を実行できない事案がある。たとえば，福祉施設における職員の配置基準だ。利用者何人に対して職員を何人配置しなければならない，といったルールがある。最近，このような国によるルールを，自治体の裁量に任せようという動きがあったばかりだ。

　例えば，冬になると高齢者は外出することに消極的になる。とくに，積雪量の多い東北地方などでは，高齢者が通所する福祉施設＝「デイサービス」などの利用が減少し，家に閉じこもりがちになってしまう。その意味でも，雪国の高齢者対策は特異だ。

　しかも，この地域の高齢者施策には，屋根の雪下ろしをも考えていかなければならない。独り暮らしや老夫婦の高齢者世帯は地域住民や親類などに頼めればいいが，そうできない場合は，市町村の役割が重要となる。雪下ろし業者に頼むと一回に３万円以上の費用がかかるが，低所得者に対しては市から助成金が支給される地域もある。

　ただし，日々，玄関先の雪かきは行わなければならないため，高齢者世帯にとっては大きな重荷となる。隣近所の家が親切に雪かきをしてくれればいいが，近所づきあいが上手くいっていない場合は難しい。

　また，ヘルパーなどは自分が家に入るために簡単な雪かきをして，サービスを開始することも少なくない。そのため，雪国のヘルパーなどは，家事や身体介護の仕事以外に，雪かきといった作業も一部強いられるのだ。そして，高齢者の中には，越冬のため老人福祉施設などに数ヵ月入所する人も少なくない。

　このように地域の特性に応じて福祉ニーズは多様化しているため，それをき

め細かくくみ上げる自治体の役割は非常に重要だ。

３．地方分権一括法とは？

　現在問題になっている地方分権の根拠となる法律は，1999年の「地方分権一括法」だ。これは「地方分権の推進を図るための関係法律の整備等に関する法律」の略語であり，この法律改正は地方分権を語るには重要なものである。

　この法律が成立するまでに「地方分権推進委員会」の五回にわたる勧告がだされ，その勧告を受け，政府がようやく四七五本にのぼる法律を部分的に改正し一本の法律としてまとめたのである。この法律によって，国と自治体は「上下の関係」「主従の関係」ではなく，「対等の関係」となった。この法律の主なポイントは，以下のとおりである。

① 機関委任事務の廃止と事務の再配分
② 国による関与
③ 権限委譲の推進と事務処理特例条例
④ 必置規制の見直し

　とくに，この中では「機関委任事務の廃止」は重要である。かつて「機関委任事務」は，国の仕事を自治体が代わって行っていたに過ぎず，自治体は単なる国の代替であって地方議会も関与できなかった。代表的な事務は，「生活保護」の仕事だった。結果的には，この改正によって後で詳しく述べるが「法定受託事務」に移行されたのだ。

　しかし，地方分権一括法が施行されたからといって，国の関与がいまだに強いことは周知のとおりだ。国のルールが変わらないかぎり，福祉サービスが使いやすくならないケースはたくさんある。だから，改めて自治体と国の裁量権の見きわめが重要となってくる。しかも，最終的には福祉サービスの多くは福祉六法という法律に基づいているため，法律を改正しないとサービスは使いやすくならない。

4. 「法定受託事務」と「自治事務」

　現在，自治体の事務として大きく「法定受託事務」と「自治事務」がある。地方自治法に基づけば，「法定受託事務」は，市町村にとっては，国や都道府県から委託された事務であり，本来の業務ではない。いっぽう，「自治事務」は，市町村が責任を負わなければならず，自らの判断で業務を遂行することとなっている。

　地方自治法では，あくまで国・都道府県・市町村の関係は対等である，とはなっているが，介護保険制度の要介護認定システムである「自治事務」を例に挙げても，その実態は違う。

　本来であれば，介護保険制度の運営責任は市町村にあるはずなので，当然，この要介護認定システムの事務も市町村に全て委ねられるべきだ。しかし，実態は国からの決まりごとで業務が遂行されており，その関与はマニュアルの作成から事務規定まで多くのレベルにわたっているのが現状である。

5. 具体的な国の関与

　現在，法律上，「自治事務」であっても，市町村の裁量権が限定的であることは否定できない。たしかに，他の「自治事務」の一部には，市区町村の裁量権が認められているものもあるが，その多くは国の関与が強く市町村の事務裁量は制限されている。

　具体的な国による関与手法は，「自治事務」では「助言・勧告」「資料の提出の要求」「是正の要求」「協議」に限定される。いっぽう，「法定受託事務」では「助言・勧告」「資料の提出の要求」「協議」「同意」「許可」「認可」「承認」「指示」「代執行」等といった措置が講じられる。

　多くの「自治事務」を分析しながら，国と市区町村の裁量権の検証を行い，「自治事務」の本旨について議論し直す必要がある。そうしなければ，地方分権といった議論も本格化しないと考える。

6. 県庁と市役所のしごと

　都道府県の管轄として第一に挙げられるのは，医療や保健所関連のサービス

だ。医療サービスは医療圏といって，医療サービスの度合いに応じて，そのエリアが異なる。都道府県は，その圏域を決めている。また，保健所業務なども都道府県の仕事である。しかし，保健センターは市町村管轄であることは注意が必要である。なお，児童福祉関係も保育行政等を除いては，都道府県の管轄になる。例えば，児童虐待などの対応や児童養護施設の入所などは，都道府県管轄の児童相談所が行う。利用者がサービスの可否について都道府県に相談に行くことは，市町村に比べると少ない。

　なお，高齢者や障害者などの施設の許認可権は都道府県にあるので，その点は踏まえておく必要がある（地域密着型のような小規模な施設は市町村だが）。つまり，福祉施設を開設したいといった場合は，都道府県がその許認可を判断するのである。

　いっぽう，市役所における福祉事務は，高齢者福祉，障害者福祉，生活保護といった事案が挙げられる。ただし，町や村では，これらの福祉業務も都道府県が担当している。

　ところで，利用者が使いたいと申請した市町村管轄の福祉サービスが「利用が難しい」という結果になった場合，本当に市町村の判断が妥当かどうか，本当に正しいのか，判断を都道府県に求めることができる。これらに対しては「不服申し立て」「審査請求」などの制度がある。

7．介護保険は地方分権の試金石と言われるが…

　2000（平成12）年にスタートした介護保険制度は，「地方分権の試金石」と言われながらも制度発足後16年が経つ。しかし，年々，国の関与が強くなっている。介護保険制度や国民健康保険制度は，「住民の福祉」に，直接，関与する重要な施策であるが，再度，国と市町村の役割・機能を見直す必要がある。法律上は，「地方分権の試金石」とされた介護保険制度でも，実態は，かなり中央集権的である。

　もっとも，日本全体で考えた場合，最適なサービス水準を維持し，公正なシステムを考えるなら，必ずしも，中央集権的なシステムは全否定されるべきものではない。

2．福祉に関する法律

1．福祉六法とは

　福祉行政を理解するには，必ず，福祉六法（生活保護法，児童福祉法，母子及び寡婦福祉法，老人福祉法，身体障害者福祉法及び知的障害者福祉法）を，抑えておかなければならない。通常，福祉サービスの大部分は「福祉六法」に基づいている。

　また，関連する法律としては，少なくとも「介護保険法」「障害者自立支援法」「地域保健法」「売春防止法」「社会福祉法」の五法は把握しておかなければならない。福祉行政を把握するには，法律の知識を覚えることも必要不可欠である。

　例えば，認可保育園の入所に関心のある人は，児童福祉法第24条に「児童の保育に欠けるところがある場合において，保護者から申込みがあったときは，それらの児童を保育所において保育しなければならない。」と記載してある。

2．法令とは？

　なお，一般的に法令とは，「法律」「政令」「省令」など国会または国の行政機関が決めたルールのことをさす。「法律」は国会で決めるもので，「政令」は内閣が規定するものだ。また，「省令」は各省庁が決定するが，福祉に関しては，当然ながら厚生労働省による「省令」が該当する。なお，これらの優先順位は，言うまでもないが「法律」「政令」「省令」である。

　また，自治体は，この「法令」に反しないかぎり「条例」を制定することができることになっている。地方自治法によれば，条例は「二年以下の懲役若しくは禁錮，100万円以下の罰金，拘留，科料若しくは没収の刑又は5万円以下の過料」までの罰則規定を設けることができるとされている。

　また，昨今，自治基本条例を制定することが一般化された。その地域における自治の基本原則や行政の基本ルールを構築することが目的である。自治基本条例は，「自治体の憲法」と言われ，条例という形で法的根拠を持たせている。

3．規則と要綱

　「規則」とは，首長が，地方自治法の規定に基づき，国の法令に反しないかぎりにおいて，その権限に属する事務について制定する法規のことだ。しかも，5万円以下の過料を科すことができる。

　また，行政においては「要綱」というものがある。「要綱」は，事務処理手順のマニュアルのようなものである。しかし，福祉現場では，この「要綱」が，福祉サービスを使う際にさまざま重要な働きをする。サービスを利用しやすいようにしたい場合，限界があるかもしれないが，「要綱」を変えるだけでも，多少，利便性はよくなるかもしれない。

4．通達と通知

　福祉の現場では，厚生労働省から多くの「通知」が出される。以前は，上級官庁から下級官庁へ下す行政内部資料という位置づけで「通達」と言われたが，現在は，この「通達」という概念はない。その代わり「通知」が出され，福祉サービスの可否についての解釈事例が掲載されている。

　行政窓口で問題になったときは，その担当者に通知の内容について聞いてみるべきであろう。もしかしたら，担当者が解釈を間違えているかもしれないからだ。行政組織は，「文書主義」であるため，担当者の解釈次第でサービスの融通性も違ってくる。担当者の解釈を聞いて，融通性のある解釈を引き出すのも福祉にとりくむ者の重要な視点である。

3．自治体における福祉・保健の現場

1．措置制度とは

　福祉サービスにおいて，理解しておくべき重要なキーワードとして「措置」という言葉が挙げられる。「措置」とは，行政行為に基づいて福祉サービスが提供されることを意味する。戦後，「措置制度」のもとで福祉が展開されてきた。措置を行う機関を「措置権者」といい，主に市役所などがそうである。具体的には民間の社会福祉施設へ入所者を預けていた事務などがそうだ。

しかし，高齢者への入所は介護保険制度が創設されて，措置制度は廃止された。現在，措置制度が残っているのは，児童養護施設や養護老人ホームの入所関連である。ただし，認可保育園の入所に関しては，1998年４月施行の児童福祉法の改正によって，従来の入所方式であった「措置制度」から，利用者による「選択利用」方式の制度に改正された。もっとも，実質的には市役所が入所判定を行っており，保育園自体の入所決定権は制限されている。

２．身近な福祉行政機関は「福祉事務所」

　第１章でも述べたが，生活保護の申請をする窓口が福祉事務所である。福祉事務所は，社会福祉法第一四条の「福祉に関する事務所」を意味するが，主に都道府県福祉事務所（郡部福祉事務所）と市区町村福祉事務所（市部福祉事務所）に分けられる。

　具体的には「都道府県の設置する福祉に関する事務所は，生活保護法，児童福祉法及び母子及び父子並びに寡婦福祉法に定める援護又は育成の措置に関する事務のうち都道府県が処理することとされているものをつかさどるところとする」（社会福祉法第14条５）。

　つまり，町村は福祉事務所の設置義務がないので設置数は少なく（表８-1），都道府県の福祉事務所が管轄している。いっぽう，「市町村（特別区を含む。以下同じ。）の設定する福祉に関する事務所は，生活保護法，児童福祉法，母子及び父子並びに寡婦福祉法，老人福祉法，身体障害者福祉法及び知的障害者福祉法に定める援護，育成又は更生の措置に関する事務のうち市町村が処理することとされているもの（政令で定めるものを除く。）をつかさどるところとする」（社会福祉法第14条６）と，なっている。

表８-１　福祉事務所の設置状況（箇所）

設置主体	都道府県	市（特別区含む）	町村	計
箇所数	206	999	45	1,250

資料）厚生労働省HP（令和２年４月１日現在）より。
　　　http://www.mhlw.go.jp/stf/seisakunitsuite/bunya/hukushi_kaigo/seikatsuhogo/fukusijimusyo/index.html.

3．福祉事務所のしごとは市町村が主体

1993（平成5）年4月，老人福祉及び身体障害者福祉の施設入所事務等が，都道府県から市町村へ移譲された。そして2003（平成15）年4月には知的障害者福祉分野の施設入所事務等が同じく市町村に移譲されたのだ。つまり，住民の身近な福祉サービスは，いまや市町村の福祉事務所が担っており，住民の福祉行政にとっては重要な役割・機能を果たしている。

なお，現在の福祉事務所は，「大福祉事務所」と言われるように，庁舎内では福祉六法以外の福祉関連部署と一体的な組織運営となりがちで（大福祉事務所），場合によっては保健所もしくは保健センターと統合されるなど「保健福祉センター」といった形態で運営されることも少なくない。

福祉事務所の仕事を理解するには，社会福祉法第一四条「福祉に関する事務所」の業務なのか否かを目安にすると理解しやすくなる（基本的には福祉六法）。

4．「地域包括支援センター」と「子ども家庭支援センター」

高齢者の総合相談機関に「地域包括支援センター」がある。これらの機能は，市役所などが直接運営している場合もあるが，多くは民間に委託されている。だから，市役所に相談に行っても，地域包括支援センターを紹介されてしまう可能性がある。

また，子育てに関する相談は，「子ども家庭支援センター」という機関があり，これらも委託されている地域が多い。

5．児童相談所

児童相談所は，児童福祉法にもとづいて設置されている，18歳未満の子どもに関する相談機関である。本人・家族・学校などを対象にした，児童福祉の最前線の部署といってもいい。また，児童虐待などの問題に対処するため，緊急に児童を保護し生活指導を行いながら子どもを一時保護することもある。

そして，事情によっては家庭で生活できない子どもらを，乳児院，児童養護施設，児童自立支援施設，知的障害児施設，肢体不自由児施設などの児童福祉施設へ措置入所させる機関でもある。なお，児童自立支援施設数は，支援を必

要とする対象者が増えているにも関わらず，ほとんど増えていないのが実情である。

6．知的障害者更正相談所

　知的障害者更正相談所では，主に知的障害者やその家族等に対する専門的な知識及び技術に関する，相談と指導を行っている。とくに重要な業務としては，18歳以上の知的障害者を対象に，それらの申請に基づいて「療育手帳」を交付していることが挙げられる。療育手帳の申請は，市役所や町村役場で行えるが，実際の判定は知的障害者更正相談所で行われ，そこでは医学的・心理学的及び職能的判定を行い，一定の知的障害として判定されれば，それらのレベルに応じて「療育手帳」が交付される。この手帳が交付されると，障害者サービスなどの援助が受けやすくなる。ただし，利便性を考慮して地域ごとに定期的な巡回相談事業も実施されている。

7．身体障害者更正相談所

　身体障害者更生相談所は，主に身体障害者を対象に「補装具」「更生医療」「施設利用」などの各種福祉サービスに関する業務を管轄している組織だ。主に医師をはじめとする専門職員が配置され，専門的・技術的な相談や各種判定業務等が行われている。

　ここでもっとも重要な業務は，身体障害者手帳の判定だ。この手帳の交付は都道府県知事の管轄だが，実際の判定は身体障害者更正相談所が行う。ただしこれらの申請にあたっては身近な市役所でも可能だ。

　また，判定事務の中に補装具費支給の可否などがあるが，身体障害者更生相談所や巡回相談会場に障害者が来所するなどの「来所判定」と，もしくは申請時に提出する補装具費支給意見書により判定される「書類判定」がある。そして，障害者を対象とした自立支援医療（更正医療）の判定も行っている。これらの申請は市役所などの身近な自治体で行えるが，判定は身体障害者更正相談所で行っている。

8. 婦人相談所

　誰もが，ドメスティック・バイオレンス（DV被害）といった言葉を聞いたことがあるだろう。夫などの暴力による女性などの被害だ。このような要保護女性などの相談・支援を行う機関が婦人相談所である。

　そもそも都道府県は，売春防止法によって婦人相談所を設置しなければならず（市役所は任意設置），その一環で一時的にこれらの女性を保護する機能を有している。基本的には婦人相談員などが主体となって相談にあたっているが，その他女性一般の問題についても支援がなされている。

9. 保健センター

　既述の保健センターは，保健サービス（第一次予防）の機能を果たし，市町村が中心となって「疾病予防」「病気の早期発見」「各種保健事業及び予防接種」などを行う機関である。

　第一次予防としては，乳幼児健診，老人保健（介護予防）などの事業が挙げられる。

10. 保健所および県立病院

　地域保健法に基づいて，保健所は広域的な保健サービス（第二次予防）を行う機関だ。この第二次予防とは，「心の相談」「感染症による相談・検査（結核，エイズ，インフルエンザなど）」「難病対策」「飼い犬登録や狂犬病予防」「食品営業許可」「食中毒の予防」「医療機関の開設許可」「薬局・薬店の開設許可」医薬品や劇物の販売業の許可」などの業務を指す。

　なお，県立病院は，通常一般の医療機関であるが，主に急性期医療を担当しており地域の中核病院としての役割を担う機関である。

4. 医療関連の法令

1. 医療法

　医療関連の法令でもっとも基本となるのが医療法であり1948（昭和23）年に

制定されたが，富士見産婦人科事件（1980（昭和55）年に事件が発覚）を期に，その後，次々に医療法が改正されていく。この事件は埼玉県の産婦人科病院での乱診乱療が明るみとなったことが経緯にある。そのことで，医療法人への監督強化のための医療法改正の必要が議論となった。

　そして，第一次医療法改正として1985（昭和60）年に医療法が改正された。この改正によって都道府県による地域医療計画の策定が行われるようになった。

　　　第1次医療法改正（1985（昭和60）年改正）　各都道府県で医療計画が策定
　　　　　され，それを基に医療施設の整備がされた。
　　　第2次医療法改正（1992（平成4）年改正）　医療の理念規定を整備，高度
　　　　　先進医療を担う「特定　機能病院」，慢性患者の長期療
　　　　　養を担う「療養型病床群」の制度化，そして，病院はこ
　　　　　れらに「一般病院」と3種類を整備することとなった。
　　　第3次医療法改正（1997（平成9）年改正）　1996（平成8）年介護保険法
　　　　　案が国会に提出されたのを契機に，要介護者に対応した
　　　　　地域での医療サービスの強化，療養型病床群の診療所へ
　　　　　の拡大，地域支援病院の創設，医療計画の見直しなどが
　　　　　盛り込まれた。
　　　第4次医療法改正（2000（平成12）年改正）　一般病床を「療養病床」と「一
　　　　　般病床」に区分，一般病床の看護配置基準が4対1から
　　　　　3対1に引き上げ，カルテ等に係る情報開示，医師・歯
　　　　　科医師の2年間の臨床研修が盛り込まれた。
　　　第5次医療法改正（2007（平成19）年改正）　新設医療法人については持ち
　　　　　分なしに限定，社会医療法人の創設，・4疾病5事業の
　　　　　具体的な医療連携体制を位置付け，広告規制の緩和など
　　　　　が盛り込まれる。
　　　第6次医療法改正（2014年（平成26）改正）　病床機能報告制度と地域医療
　　　　　構想の策定，認定医療法人制度の創設などが盛り込まれ
　　　　　る。

第7次医療法改正（2015（平成27）年改正）：地域医療連携推進法人制度
　　　　　の創設，医療法人の経営の透明性の確保及びガバナンス
　　　　　の強化などが盛り込まれる。
第8次医療法改正（2017（平成29）年改正）　特定機能病院のガバナンス改
　　　　　革，医療機関開設者に対する監督規定，医療機関のウェ
　　　　　ブサイトなどにおける広告規制強化などが盛り込まれる。

２．具体的な医療法の規定

　医療法においては，病院又は診療所の管理者は，入院時の治療計画の書面の作成及び交付は書面で行わなければならない。また，医師は時間外であっても，正当な事由がなければ拒んではならないと規定されている。そもそも，医師は業務独占の資格であり，処方せんの交付を薬剤師に委任することはできない。そして，診療録の記載も保存も義務化されており，患者の保健指導も義務となっている。

　いっぽう地域医療構想は都道府県が策定することとなっており，病床機能報告制度に規定された病床の機能は，① 高度急性期機能　② 急性期機能③ 回復期機能　④ 慢性期機能　の４種類となっている。なお，一般病床，療養病床を有する病院又は診療所の管理者は，毎年，病床機能を報告しなければならない。そして，病院，診療所又は助産所の管理者は，医療事故が発生した場合には，医療事故調査・支援センターに報告しなければならない。

３．医療施設について

　特定機能病院は，400床以上の病床を有する必要がある。地域医療支援病院は，都道府県知事の承認を得て，かかりつけ医など地域の医療機関を支援する病院である。

　いっぽう在宅療養支援病院とは，在宅での療養を行う患者が緊急時に入院できる病床を確保する病院であるが，在宅療養支援診療所とは，在宅医療を担当する常勤の医師を配置し，地域で在宅医療を提供する診療所である。また，有床診療所は，病床を有する診療所のことであり，地域の患者が48時間以内に退

院できるように努める義務を負う必要はない。

4．医療提供体制について

　在宅医療専門の診療所は，外来応需体制も有している必要がある。また，か
かりつけ歯科医機能強化型歯科診療所とは，口腔機能の管理を行う機関であ
る。ただし，有料老人ホームも，公的医療保険における在宅医療の適用内とな
っている。

　いっぽう保険薬局とは，保険の指定を受けた薬局のことである。そのため，
居宅における医学的管理，指導を行うことはできない。

5．医師・看護師以外の医療関連職種

　薬剤師は，薬剤師法第25条の2において「薬剤師は，調剤した薬剤の適正な
使用のため，販売または授与の目的で調剤したときは，患者又は現にその看護
にあたっている者に対し，必要な情報を提供し，及び必要な薬学的知見に基づ
く指導を行わなければならない」と規定されている。

　理学療法士の業務範囲は，電気刺激，マッサージなどの物理的手段が含まれ
ているが，理学療法士がリハビリテーション等を実施する際には，医師の指示
が必要である。理学療法士は，理学療法士及び作業療法士法第2条第3項にお
いて，「医師の指示の下に，理学療法を行うことを業とする者」と規定されて
いる。

　そのため，理学療法士は中心静脈カテーテルを抜去することはできない。中
心静脈カテーテルの抜去は，特定行為の一つである。特定行為とは，診療の補
助であり，医師の指示の下，看護師が手順書により行う（保健師助産師看護師
法第37条の2第2項第1号）。特定行為を手順書により行う看護師は，指定研
修機関において，特定行為の特定行為区分にかかる特定行為研修を受けなけれ
ばならない（同法第37条の2）。

　また，気管カニューレの交換も特定行為の一つであり，指定研修機関におい
て特定行為研修を受けた看護師が，医師の指示の下，手順書により行う（保健
師助産師看護師法第37条の2）。また，高カロリー輸液を点滴中の患者に対し

て，輸液の投与量を調整する持続点滴中の高カロリー輸液の投与量の調整も特定行為の一つである。

　いっぽう両眼視機能の回復のための矯正訓練を行うのは視能訓練士である。言語聴覚士は音声指導，吃音訓練，人工内耳の調整などを行う職種である。臨床工学技士は生命維持管理装置等の操作や管理を行う。義肢装具士は医師の指示の下，患部の採型，義肢や装具の製作及び身体への適合を行う職種である。

5．診療報酬の規定

　診療報酬は2年に一度改定され，健康保険法第82条によって改定率は厚生労働省が中央社会保険医療協議会に諮問（意見を求める）し決定される。

　具体的には「一般病棟入院基本料」で算定される，一般病棟には療養病床の病棟は含まれない。また，診療所の入院患者数は19人以下であることとなっている。なお，障害者施設等入院基本料で算定される障害者施設等には，医療型障害児入所施設が含まれ，児童福祉法に規定されている。

　特定機能病院入院基本料で算定される病棟には，特定機能病院の療養病棟は含まれていない。そもそも特定機能病院は，高度の医療の提供，高度の医療技術の開発及び高度の医療に関する研修を実施する能力等を備えた病院である。そのため，地域包括ケア病棟は，急性期医療を経過して，地域でリハビリや治療を続ける目的で，特定機能病院は除外されている。

　DPC/PDPSは（Diagnosis Procedure Combination/Per-Diem Payment System 診断群分類に基づく1回当たり定額報酬算定制度），分類ごとに一日ごとの入院費用を定めている。診療報酬点数には，医科，歯科，調剤報酬が設けられており，外来診療報酬については出来高払いとなっている。

6．政策は計画次第

1．自治体の福祉政策は計画に基づく
　いうまでもないが福祉に限らず「計画」とは，あらゆる組織や団体で作成さ

れるものだ。例えば，民間会社の「販売計画」「職員の研修計画」など，誰しも目にしたことがあるだろう。経営学において，「計画」とは「PDCAサイクル」などといったモデルを用いて説明されることがある。

つまり，①まず目標を設定（Plan）。②具体的な実行（Do）。③実行計画を途中で評価（Check）。④修正する（Action）。といったプロセスを踏んでいくことを意味する。このサイクルは，どのような分野においても共通するもので，福祉の場においても，市民の立場から理解しておくと役に立つ。

福祉計画を作成するには，まず「ニーズ」を把握することから始めなければならない。しかし，現在，福祉ニーズは非常に多様化しており，簡単に絞り込むのは難しいのが現状だ。同じ高齢者福祉サービスでも，一人ひとりによってニーズは異なる。その意味では，最大公約数的な福祉ニーズをいかに把握するかが重要となる。

役所はしばしば「パブリックコメント」「タウンミーティング」「市長への手紙」などといった方法で，市民の意見を聞こうとする。また，世論調査を行い，福祉ニーズを把握しようとしている。しかし，これらに対応している市民は限られ，一部の声しか把握できない。その意味で，最大公約数的なニーズを把握することは難しい問題なのだ。

2．過去の国による代表的な福祉計画

福祉に関する計画は，過去に遡ればいくつもある。その中でも「高齢者保健福祉推進10ヵ年戦略（ゴールドプラン）」は有名である。1989年12月に当時の厚生省が公表し，1999年までの10ヵ年を目標に，高齢者に関する施設サービスの整備を図ろうとした計画である。途中1994年月，計画の見直しが行われ，各種サービスの新たな整備目標として「新ゴールドプラン」が発表された。

また，子育て支援のための「エンゼルプラン」が有名である。1994年12月，文部，厚生，労働，建設の四大臣合意により策定された。正式名は「今後の子育て支援のための施策の基本的方向について（エンゼルプラン）」である。これによって国や地方公共団体，企業・職場，地域社会が子育て支援に取り組むことが明確にされた。そして，このプラン策定後10年間に取り組むべき基本的

方向と重点施策が定められた。

　具体的には，保育所の量，地域子育て支援センターの整備，などの「緊急保育対策等5か年事業」が策定され，1999年度を目標年次とされた。その後，1999年12月「少子化対策推進基本方針」が決定され，2000年度を初年度として2004（平成16）年度まで「新エンゼルプラン」が策定された。

3．市町村地域福祉計画と都道府県地域福祉支援計画

　現在，福祉計画はいくつかあるが，なかでも重要なのは，社会福祉法に規定された「市町村地域福祉計画（社会福祉法107条）」と「都道府県地域福祉支援計画（社会福祉法108条）」であり，市町村及び都道府県は，その策定において努力義務がある。

　なお，策定が努力義務であるため，2018年4月時で全1,741市町村（東京都特別区を含む，以下同じ）において，市町村地域福祉計画を「策定済み」が1,316市町村（75.6％）となり，前回調査と比較して27市町村（1.6ポイント）増加している。いっぽう47都道府県のうち，都道府県地域福祉支援計画を策定済みが43都道府県（91.5％）であり，未策定の4県すべてが「策定予定」と回答している（表8－2，8－3）。両計画とも策定期間は5年となっているケースが多い。

　「市町村地域福祉計画」の趣旨は，誰もが住み慣れた地域で，その人らしい自立した生活が送れるような仕組みをつくることにある。各地域には，高齢者，障害者，乳幼児，児童などの福祉サービスを必要としている人が多くいる。

　これらの支援を考えるにあたって，住民自らが課題を発見し助け合う仕組みづくりが目的とされている。そのため，「市町村地域福祉計画」を作成するには住民の参加が不可欠である。なお，「市町村地域福祉計画」には三つの盛り込むべき内容が，社会福祉法に規定されている。

　まず，「市町村地域福祉計画」では，

　① 地域における福祉サービスの適切な利用の推進の事項

　② 地域における社会福祉を目的とする事業の健全な発達の事項

　③ 地域福祉に関する活動への住民参加の促進の事項

この三項目が定められている。なお，市町村は，計画を策定もしくは変更するときは，あらかじめ，住民，社会福祉を目的とする事業を経営する者その他社会福祉に関する活動を行う者の意見を反映させ必要な措置を講ずるとともに，その内容を公表しなければならない。

次に「都道府県地域福祉支援計画」は，

① 市町村の地域福祉の推進を支援するための基本的方針に関する事項

② 社会福祉を目的とする事業に従事する者の確保又は資質の向上に関する事項

③ 福祉サービスの適切な利用の推進及び社会福祉を目的とする事業の健全な発達のための基盤整備に関する事項

以上の三項目が定められている。

なお，都道府県は計画の策定および変更するときは，あらかじめ，公聴会の開催等住民その他の者の意見を反映させるために必要な措置を講じ，その内容を公表することになっている。

表8-2　市町村地域福祉計画の策定状況について

	策定済み	策定予定	策定未定	計
市区 (814)	740	27	47	814
	90.9%	3.3%	5.8%	100.0%
町村 (927)	576	118	233	927
	62.1%	12.7%	25.1%	100.0%
計	1,316	145	280	1,741
	75.6%	8.3%	16.1%	100.0%

資料）厚生労働省「全国の市町村地域福祉計画及び都道府県地域福祉支援計画等の策定状況について（平成30年
　　　4月1日時点）」厚生労働省より。
　　　https://www.mhlw.go.jp/content/000462126.pdf.

表8-3　都道府県地域福祉支援計画の策定状況について

策定済み	策定予定	策定未定	計
43	4	0	47
91.5%	8.5%	0.0%	100.0%

資料）厚生労働省「全国の市町村地域福祉計画及び都道府県地域福祉支援計画等の策定状況について（平成30年
　　　4月1日時点）」厚生労働省より。
　　　https://www.mhlw.go.jp/content/000462126.pdf.

４．地域福祉活動計画

　なお，社会福祉協議会が主体となって作成する「地域福祉活動計画」がある。地域住民や社会福祉を目的とする事業（福祉サービス）を経営するものが相互に協力し，地域福祉の推進を目的とした民間の活動・行動計画である。ただし，既述の２つの地域福祉関連の計画と異なり，社会福祉法に位置づけられた計画ではない。計画期間は５年を目安として策定しているケースが多い。

５．老人福祉計画と介護保険事業計画

　都道府県と市町村は，３年間を一期として，高齢者施策の基本計画となる「老人福祉計画」と「介護保険事業計画」を，老人福祉法及び介護保険法に基づいて策定しなければならない。これは地域福祉計画と異なり必ず策定する必要がある。いわば高齢者福祉・介護サービスの基本となるもので，きわめて重要な計画である。

　とくに，市町村老人福祉計画・介護保険事業計画は，介護保険料や介護施設などのサービスの量を決める計画である。

６．障害者福祉に関する計画

　2004（平成16）年６月「障害者基本法」の改正により都道府県及び市町村における障害者計画の策定が，都道府県については改正法の公布の日から，市町村については2007年４月から義務化されている。

　そもそも障害者基本法では，国，都道府県，市町村のそれぞれに障害者施策の総合的かつ計画的な推進を図るため計画を策定することとなっており，具体的には「障害者基本計画（国）」「都道府県障害者計画」「市町村障害者計画」となっている。「国」「都道府県」「市町村」は，障害者施策の総合的かつ計画的な推進を図ることが目指されている。これは，障害者施策を効果的に進めるためである。計画には，障害者団体の代表，医療・教育・福祉等に従事する専門家，学識経験者等の各方面の幅の広い意見を反映させることになっている。

　いっぽう障害者総合支援法に基づく「市町村障害福祉計画（障害者総合支援法88条）」「都道府県障害福祉計画（障害者総合支援法89条）」の二種類がある。

この二つの障害者に関する福祉計画も，必ず策定しなければならないことになっている。

　当該地域の実態を勘案して作成することになっており，具体的な障害福祉サービス，相談支援体制及び地域生活支援事業の提供体制に関する計画である。しかも，住民の意見を反映させなければならないとされている。

7．次世代育成支援行動計画

　2003（平成15）年7月「次世代育成支援対策推進法」が制定され，国，地方公共団体，事業主，国民の責務として，次世代を担う子どもが健やかに生まれ育成される社会の形成を目的とした行動をとるべきことが明記された。

　そして，企業等と地方公共団体は国が定める「行動計画策定指針」に基づいて，次世代育成支援対策のための行動計画を策定することになった。具体的な行動計画の期間は，2005（平成17）年度から2014年（平成26）度までの10年間となっており，計画に際しては社会情勢を考慮し逐次見直すことになっている。

8．子ども・子育て支援事業計画

　2012（平成24）年8月「子ども・子育て関連3法（子ども・子育て支援法，認定こども園法の一部改正，子ども・子育て支援法及び認定こども園法の一部改正法の施行に伴う関係法律の整備等に関する法律）」が成立し，これらの法律に基づき，2015（平成27）年4月から「子ども・子育て支援新制度」が施行されている。そして，国は，子ども・子育て支援のための施策を総合的に推進するための基本的な指針（基本指針）を策定することになった（子ども・子育て支援法第60条）。

　なお，子ども・子育て支援法第61条に基づいて，市町村は「市町村子ども・子育て支援事業計画」を策定することになった。具体的には，市町村が子ども・子育て状況や各事業の利用状況・利用希望を把握し，5年を1期とする支援事業計画を策定し，それに基づき事業を実施することとなってる。なお，以下のような記事事項を計画に盛り込むことになっている。

〈必須記載事項〉

○　区域の設定

○　各年度における幼児期の学校教育・保育の量の見込み，実施しようとする幼児期の学校教育・保育の提供体制の確保の内容及びその実施時期（第2項第1号）

○　地域子ども・子育て支援事業の量の見込み，実施しようとする地域子ども・子育て支援事業の提供体制の確保の内容及びその実施時期

○　幼児期の学校教育・保育の一体的提供及び当該学校教育・保育の推進に関する体制の確保の内容

〈任意記載事項〉

○　産後の休業及び育児休業後における特定教育・保育施設等の円滑な利用の確保

○　子どもに関する専門的な知識及び技術を要する支援に関する都道府県が行う施策との連携

○　労働者の職業生活と家庭生活との両立が図られるようにするために必要な雇用環境の整備に関する施策との連携

　いっぽう都道府県も，「都道府県子ども・子育て支援事業支援計画（子ども・子育て支援法第62条）」を策定することとなっており，子ども・子育て支援施策のうち，広域的な事業を行うとされている。5年ごとに計画を策定し，以下のような記事事項を計画に盛り込むことになっている。

〈必須記載事項〉

○　幼児期の学校教育・保育に係る需要量の見込み，提供体制の確保の内容及びその実施時期

○　幼児期の学校教育・保育の一体的な提供を含む子ども・子育て支援の推進方策
　　※幼児期の学校教育・保育，家庭における養育支援の充実方策を含む。

○　市町村が行う事業との連携が必要な社会的養護に係る事業，障害児の発達支援に着目した専門的な支援に係る事業

○　人材の確保・資質向上

〈任意記載事項〉

○　市町村の業務に関する広域調整

○　特定施設・事業者に係る情報の開示

○　職業生活と家庭生活との両立に関すること

７．医療計画について

１．医療計画とは

　医療計画は，各都道府県が，地域の実情に応じて，当該都道府県における医療提供体制の確保を図るために策定するものである。具体的には，医療提供の量（病床数）を管理するとともに，質（医療連携・医療安全）を評価することである。そして，医療機能の分化・連携（「医療連携」）を推進し，急性期から回復期，在宅療養に至るまで，地域全体で切れ目のない医療が提供される体制を構築することにある。

　具体的には，以下のような医療計画作成手順が厚生労働省より示されている（「医療計画作成指針」（医療計画について：医政発0330第28号平成24年3月30日）。

（１）医療計画（案）を作成するための体制の整備

（２）医療計画の目的，基本理念についての検討及び医療計画の基本骨子についての検討

（３）現行の医療計画に基づき実施された施策の効果の検証

（４）地域医療の現状分析等に係るデータの収集，調査の実施及び将来予測の検討

（５）患者・住民の医療ニーズ等の把握

（６）５疾病・５事業及び在宅医療のそれぞれに係る医療連携体制の構築に当たっての課題や数値目標，施策についての検討

（７）５疾病・５事業及び在宅医療のそれぞれに係る医療連携体制の構築

（８）医療圏及び基準病床数の検討

（9）以上の検討を踏まえた医療計画（試案）の作成

（10）診療又は調剤に関する学識経験者の団体（医師会，歯科医師会及び薬剤師会）から医療計画（試案）についての意見の聴取（必要に応じ試案の手直し）

（11）医療計画（案）の決定

（12）医療計画（案）についての市町村の意見聴取（必要に応じ医療計画（案）の手直し）

（13）医療計画（案）について都道府県医療審議会への諮問，答申

（14）医療計画の決定

（15）医療計画の厚生労働大臣への提出及び公示

そして，具体的な数値目標の設定と評価を行い，その評価結果に基づき，計画の内容を見直すといったPDCAサイクルを効果的に機能させることで，医療計画の実効性の向上を図ることが重要であるとされている。

2．二次医療圏について

基本的な保健医療を提供する「一次医療圏（基本的に市町村単位）」が設定されている。そして，二次医療圏とは，都道府県内の一定の医療圏として設定し病院等における入院に係る医療を提供することが相当である単位としてある。例えば，地理的条件等の自然的条件，日常生活の需要の充足状況，交通事情等を考慮される圏域である。

二次医療圏の人口規模が医療圏全体の患者の受療動向に大きな影響を与えている。そのため，「医療計画作成指針」において，一定の人口規模及び一定の患者流入・流出割合に基づく，二次医療圏の設定の考え方を明示することとなっている。

なお，「地域医療構想」において，都道府県は二次医療圏を基本とした構想区域ごとに，2025年の病床の機能区分ごとの病床数の必要量とその達成に向けた病床の機能の分化及び連携の推進に関する事項を定めることとされており，2016年度末までに，全ての都道府県において地域医療構想が策定された。な

お，以下のことを医療計画に盛り込むこととなっている。
① 急性期から回復期，慢性期までを含めた一体的な医療提供体制の構築
② 疾病・事業横断的な医療提供体制の構築
③ 5疾病・5事業及び在宅医療に係る指標の見直し等による政策循環の仕組みの強化
④ 介護保険事業（支援）計画等の他の計画との整合性の確保

3．三次医療圏

「三次医療圏」とは，都道府県ごとに一つ，北海道のみ6医療圏とし，特殊な医療を提供する圏域。例えば，① 臓器移植等の先進的技術を必要とする医療　② 高圧酸素療法等特殊な医療機器の使用を必要とする医療　③ 先天性胆道閉鎖症等発生頻度が低い疾病に関する医療　④ 広範囲熱傷，指肢切断，急性中毒等の特に専門性の高い救急医療等，が提供される。

（淑徳大学総合福祉学部教授）

第 2 部　現場からの視点

第9章　介護現場で起きていること

松山美紀

1．脱3K

　介護の仕事は「汚い」「きつい」「危険」で3Kと言われている。汚い排泄物を
みる，自分より大きな体の利用者の移乗介助はきつい，職場での感染リスクが
あり危険，など，言葉をみれば"その通り"と感じ，世間のイメージ的にかな
り大変な仕事だという印象を持たれている。

　何年か前にテレビを観ていたら，バラエティ番組にイケメン介護福祉士集団
が出ていた。質問タイムの時間に，芸人さんが「……どんなモチベーションで
仕事してるの？」と聞くと，イケメン介護福祉士の一人が「介護ってどんな仕
事だと思いますか？」と聞き返した。芸人さんは，「お風呂入れたり，パンツ
替えたりとかでしょ」と答えた。イケメン介護福祉士は，「それは，一般的な
イメージで，あくまで生活の一部です。介護の仕事は，人が，人生を最後まで
自分らしく生きる為に何をするべきかを考えていくこと……本人の思いを実現
するための一つとして，例えばお風呂のお手伝いをする。本人の思いを実現す
ることにモチベーションを持って仕事をしている。」と答えていた。その答え
に出演者たちは，「知らなかった。すごい。」と納得していた。

　法律では，介護福祉士を「介護福祉士の名称を用いて，専門的知識及び技術
をもって，身体上又は精神上の障害があることにより日常生活を営むのに支障
がある者につき心身の状況に応じた介護を行い，並びにその者及びその介護者
に対して介護に関する指導を行うこと」と定義している。

　これから介護福祉士を目指し，現場で働きながら介護福祉士実務者研修を受

125

講している職員や介護福祉士を目指している学生に，介護とはどんな仕事か？
と聞くと，クリエイティブな仕事！や利用者を知って，利用者の気持ちをわか
って，その人らしく生きていくための支援する仕事！などと答える人が増えて
いる。3Kと答える学生はいない。

1．「汚い」?? 排泄物は観察物

　介護現場では，どうしても他人の排泄物を目にすることになる。排泄物だけ
でなく，食べこぼしや，ゴミ屋敷のような部屋に住んでいる利用者の介護をす
るなど，汚いと感じる場面を避けることはできない。

　介護現場の休憩室で「便秘で苦しんでた○○さん，やっと便でたよ〜」や「今
日は，朝から便失禁のオムツ交換ばかりで大変だったけど，運（うん）がつい
てるみたいだから，宝くじでも買って帰ろうかな」などの会話が飛び交ってい
た。学校の授業では，尿は小便，便は大便と言い換えられ，便という字は，便
りと読む。便りとは，何かについての情報。排泄物は利用者の身体についての
情報をくれる観察物だと伝えている。介護職を“お手伝いさん”のような捉え
方で外から見ていると，汚い物を扱うと考えてしまうかもしれないが，専門性
をもって現場で働いている介護職は汚い物という考えだけではない。

2．「きつい」??

　「きつい」の一つ，腰痛について取り上げる。腰痛になりやすい姿勢や動作
を繰り返し行ったり，自分より体の大きい人をベッドから車椅子に動かすよう
な肉体労働や認知症の人の対応など，介護労働が重度化している。腰痛予防対
策を講じ，スライディングボードやスライディングシート，スタンディングマ
シーンやリフトなどの福祉用具も普及している。

　2013年に改訂された「職場における腰痛予防対策指針」では，「移乗介助，
入浴介助及び排泄介助における対象者の抱上げは，労働者の腰部に著しく負担
がかかることから，全介助の必要な対象者には，リフト等を積極的に使用する
こととし，原則として人力による人の抱上げは行わせないこと。また，対象者
が座位保持できる場合にはスライディングボード等の使用，立位保持できる場

合にはスタンディングマシーン等の使用を含めて検討し，対象者に適した方法で移乗介助を行わせること」。と明文化され，事業所に指導している。しかし，介護労働センターによると，移動用リフト（立位補助機（スタンディングマシーン）を含む）の導入率は，全体で5.3％である。

　リフトを導入していない事業所の介護職からは，「各居室にあるのなら使うが，運ぶだけで時間がかかる」。「普及させるのに時間がかかる」。「狭いところでリフトを使うこと自体が大変」。「介護技術が低下する心配がある」。「機械では温かみがなくなるから，人の手で行いたい」，等の声を聞いた。また，確かに腰痛になる可能性が高い職場ではあるが，「介護の仕事をしていたから，自分の体の使い方を勉強して，腰痛知らずです」という介護職員にも多数会った。

　いっぽう，介護する側，される側双方が安全で安心なノーリフティングケアがある。抱え上げない介護＝ノーリフト®とは，オーストラリアで看護師の身体疲労による腰痛訴えがあがり，離職者が増え深刻な看護師不足に陥ったことがら，腰痛予防対策として1998年ごろから提言され危険や苦痛を伴う人力のみの移乗を禁止し，患者・利用者の自立を考慮した福祉用具使用による移乗介助を義務づけたものである。

　リフトを導入した事業所の介護職からは，「腰痛の発生数が減った」「抵抗があったが慣れれば，便利だと感じるようになった」「利用者の筋肉の緊張が緩和した」「利用者にとって何が良いのか，考える機会になった」，等の声を聞いた。

3．「危険」??

　「危険」のひとつ，ハラスメントについて取り上げる。

　近年の介護現場をみてきて，危険と感じる問題の一つに利用者や利用者の家族による介護職員への嫌がらせ「介護ハラスメント」がある。現場レベルでの解決が難しいことから，国に対策を求める要望をしていたことから，厚生労働省は，「介護現場におけるハラスメント対策マニュアル」を策定した。このマニュアルのハラスメント定義は以下の通りである。

○　身体的暴力　　身体的な力を使って危害を及ぼす行為
　　　例）コップを投げつける。ひっかく。つねる。唾を吐く。蹴られる。

　　　　手を払いのけられる。服を引きちぎられる。
○　精神的暴力　　個人の尊厳や人格を言葉や態度によって傷つけたり，おと
　　しめたりする行為。
　　　例）大声を発する。怒鳴る。サービスの状況をのぞき見する。
　　　　家族が利用者の発言をうのみにして，理不尽な要求をする。
○　セクシュアルハラスメント　　意に沿わない性的誘い掛け，好意的態度の
　　要求等，性的な嫌がらせ行為。
　　　例）必要もなく，手や腕を触る。入浴介助中，あからさまに性的な話をす
　　　　る。卑猥な言動を繰り返す
　施設・事業所に勤務する職員のうち，身体的暴力や精神的暴力，セクシュア
ルハラスメントなどのハラスメントを受けた経験のある職員は，利用者からで
は４～７割，家族等からでは１～３割になっている。
　この１年間（平成30年）で利用者からのハラスメントの内容をみると，訪問
系サービス（訪問介護，訪問看護，訪問リハビリテーション，居宅介護支援等）
では，「精神的暴力」の割合が高い傾向がみられ，入所・入居施設（特定施設
入居者生活介護や介護老人福祉施設，認知症対応型通所介護，小規模多機能型
居宅介護，看護小規模多機能型居宅介護）では，「身体的暴力」及び「精神的
暴力」のいずれも高い傾向となっている。
　ハラスメントを受けたことにより，けがや病気になった職員は１～２割，仕
事を辞めたいと思ったことのある職員は，２～４割となっている。
　ハラスメントが発生する要因について，管理者等は，「利用者・家族等の性
格又は生活歴」，「利用者・家族等がサービスの範囲を理解していないから」，
「利用者・家族等がサービスへ過剰な期待をしているから」，「利用者・家族等
の認知症等の病気又は障害によるものであるから」等を上位にあげている。
　介護現場で，上記要因のうちサービスの範囲を理解していない，サービスへ
の過剰な期待をしているということが原因でハラスメントが発生した例を見る
ことが多い。ハラスメントは介護職員の尊厳や心身を傷つけるものであって，
あってはならないものである。しかし，発生したハラスメントの原因を考える
ことが重要である。

ハラスメント発生を防げる可能性が高いと感じた例：

　在宅生活していた利用者が，特別養護老人ホームに入所した。自宅にいた時に，訪問リハビリテーションのサービスをうけていて，担当の理学療法士を気に入っている。入所後も同じようにサービスを受けられるものだと思っていた。介護保険を利用して，同じ理学療法士からのサービスをうけることはできない。苛立ちから，施設の職員に暴言を吐くようになっていった。

　自宅でサービスを利用していた利用者が施設に入る場合，制度上，利用できなくなるサービスがあったり，ケアマネージャーが変わったりと制度を十分に理解していない利用者によって予期せぬ変化が起こる。説明の必要性については，「介護現場におけるハラスメント対策マニュアル」にも記載されている。

〈サービスを開始するにあたってのチェック項目〉
○　利用者・家族等の病状等の情報を共有し，その病状等の特徴を理解していますか。
○　利用者・家族等に係るハラスメントのリスクを把握し，理解していますか。
○　介護保険制度におけるサービスの範囲及び介護契約書・重要事項説明書等の内容（ハラスメントに関わる事項を含む。）について理解していますか。求められた時に，利用者・家族等に説明できていますか。
○　介護保険制度又は契約の内容を超えるサービスを求められた際に，提供できないこと及びその理由を利用者・家族等に説明できていますか。
○　上記の説明について，利用者・家族等から理解を得られていない可能性がある場合，速やかに施設・事業所に報告・相談していますか。
○　他の施設・事業所のサービス担当者と連携をとっていますか。
　チェック項目がクリアできていたら，発生しなかった事例と考える。

4．新3K
　静岡県では，これまで，「きつい，汚い，危険，」などいわゆる3K職場として後ろ向きな評価が流布している介護現場のイメージを，現場で活躍している

職員からの声として，県民が前向きなイメージで捉えることができるよう，「介護の新3K」を決定し，周知している。

介護の新3K・感謝を分かち合える仕事・心がつながる仕事・感動できる仕事

他にも現場からの声により，介護業界のイメージアップのためにポジティブな表現でのKが挙げられている。

感謝・感動・感激・希望・カッコいい・クリエイティブ・稼げる・絆　等。

2．中間管理職の職員養成力が鍵

公益法人介護労働センター「介護労働実態調査」によると，現在の仕事を選んだ理由をについて，「働きがいのある仕事だと思ったから」が49.8％と最も高く，次いで「資格・技能が活かせるから」が36.2％となっている。離職者を勤続年数の内訳で見た場合，「勤続1年未満」の離職者が全体の4割を占めている。また，勤続3年未満の離職者を合計すると約6割強となり離職率を引き上げているのは，勤続年数の短い労働者が原因ともいえる。教育や研修において入職3年未満の職員への対応が必要であることがわかる。

1．人手不足？の事例

人材が定着しないことで人材不足になり，現場では人手が足りないとなる。同センターの調査によると，労働条件・仕事の負担についての悩み，不安，不満等をたずねたところ，「人手が足りない」が55.7％と最も高い。

① キャリアアップのために転職した元同僚から話を聞いた。「現場のスタッフは，人が足りない，人が足りないと言っているが，私がみたところ，人手不足と感じることはない。現在の状況では，職員が人手不足と感じてしまうのも無理はないが，人員配置や業務内容を改善すれば，人員不足と感じる職員が少なくなる可能性があると思います」。

② 筆者の務めている専門学校では，学生は介護現場でアルバイトをしている。今（2020）年度，ある理由により，学生のアルバイトを一時的に休ま

せていただく連絡を施設にした。その際，「人手不足なので，お休みされると困ります」と言った施設は1ヵ所で他20ヵ所程の施設は，「人員的にそこまで困ってないので，気になさらないでください。」と返答をもらったことに，驚いた。

　介護と聞くと，人員不足や低賃金，虐待やハラスメントなど，さまざまな問題が取りざたされている。上記事例のように一般的なイメージとは異なる例も存在している。

　介護の仕事に就く人の多くがやりがいと志をもち入職しているため，やりがいがある職種・志を貫ける職種であることを伝えていく必要がある。中間管理者が新人介護職に指導する介護の内容は，作業としての介護ではなく，専門性のある介護であることが重要である。

　同センターによる平成27（2015）年度「介護事業所における中間管理者層のキャリア形成に関する研究会」報告書によると人材育成を担う中間管理者（サービス提供責任者やグループリーダー）の指導者の育成が喫緊の課題となっている。

　ハラスメントについて上述したが，同センターの調査では，利用者及びその家族についての悩み，不安，不満等については，「利用者に適切なケアができているか不安がある」が39.7％と最も高く，次いで「利用者と家族の希望が一致しない」が23.0％，「介護事故（転倒，誤嚥その他）で利用者に怪我をおわせてしまう不安がある」が22.8％となっている。現場の介護職が，利用者を想いながら，自分の介護があっているのかと不安を持ちつつも，ケアしているのがうかがえる。

　前職を離職した理由について，「職場の人間関係に問題があったため」が27.7％を占めている。職場での人間関係の悩みについては，「自分と合わない上司がいる」が27.8％，「ケアの方法について意見交換が不十分である」が23.7％，「上司や同僚との仕事上の意思疎通がうまく行かない」が19.7％，「経営層の介護の基本方針，理念が不明瞭である」が15.2％，となっている。ここで出てきている項目は，本来，現場職員の養成の際に指導者が伝えるべき項目であ

り，中間管理職の職場環境の整備と職員養成についての改善が職場での悩みの要因を減らしていけるのではないかと考える。いっぽう，事業を運営する上での問題点は，「良質な人材の確保が難しい」が56.3％で人材や財源の割合が高い。介護職は"人間関係"を理由に離職しているが，管理体制や職場環境，職員同士が充分なコミュニケーションをとる，などは，運営する上での問題としては捉えられていない。

　上記を踏まえ，施設系の事業所で従事している経験10年以上の介護職に現場での人間関係についての問題を聞いたところ，チームでケアしたいのにできない➡人間関係がよくない➡誰も間違っていないのにケアの方法に違いがあり，争いが起こる➡管理者が管理できていない（やり方の根拠を伝えられない・決められない）➡管理者が指導できていない➡よいサービスが提供できない，ということがあがった。

　就業先での教育や研修について，どのように感じているのかを現介護職の人間に聞いてみると，教育や指導の計画を立てているように感じない➡何となく教えてもらっているように感じている➡研修はあるが，意味がないように感じている➡会社ことがよくわからない➡入社したときにもっと丁寧に指導してほしかった，と話していた。

　「誰も間違っていないのにケアの方法に違いがあり，争いが起こる」の理由は，事業所の理念と方針・知識を応用できる介護を伝えることができているかに課題があるのではないだろうか。

　専門学校の学生は実習に行くので，中間管理職にあたる指導者と接する機会がある。学生の様子や実習記録，介護過程の展開の記録シートをみると，指導者でここまでかわるのか？と感じる。学校で問題がある学生でも，指導者の指導により，介護の楽しさや達成感を味わい帰校する。逆に，指導者に恵まれなかった場合は，学校での成績がよくても，実習に意味を見出せなく，実習目標を達成できないまま終了となる学生もいる。

　介護職員が働いている事業所に入社した際に受けるOJTや研修制度により，中間管理職が現場の職員を養成することができるかどうかが，今後，介護現場が成長していくための鍵となるのではないかと考える。

（専門学校新国際福祉カレッジ専任教員）

参考文献

1）厚生労働省「職場における腰痛予防対策指針」平成25年6月18日.
　　https://www.yurokyo.or.jp/kakodata/member/sec/provision_info/
　　pdf/20130628_01_02.pdf
2）一般社団法人　日本ノーリフト協会　https://www.nolift.jp/.2020.9.4.
3）公益社団法人介護労働センター「介護労働実態調査」平成30年度
4）厚生労働省「介護現場におけるハラスメント対策マニュアル」平成31年3
　　月，株式会社三井総合研究所.

第10章　障害・高齢のリハビリの現状

吉田浩滋

1．リハビリテーションとは

　本章のみ，「リハビリ」についてわかりやすく説明したいので，他の章と異なり「です」「ます」調で書くことを，お許し願います。

　リハビリテーションとは，いったい何でしょう。私たちがリハビリテーションという言葉を聞くのは，たとえば，大リーグで活躍する日本人投手が投球によって肘の靭帯を損傷したので手術を受け，いまはリハビリテーションに励んでいます，というものではないでしょうか。手術では損傷した靭帯を切除し，他の部位から摘出した正常な腱の一部を移植して修復を図るトミー・ジョン手術が行われ，術後は肘関節を動かす範囲（可動域）を元の状態に近づけたり，ウエイトトレーニングによって腕の筋力を強化したりするリハビリテーションを行うことになります。こうした情報に接すると，リハビリテーションとは身体の故障を回復させるために行う運動なのだと思うのではないでしょうか。このこと自体は誤りではありませんが，これだけがリハビリテーションではありません。

　それでは，リハビリテーションとは，どんな状態になったときに行われているのでしょうか。世田谷区の診療所で通所や訪問によるリハビリテーションを行っている長谷川幹医師は自著のなかで「四〇年近い経験からみると，リハビリの対象になる疾患は脳損傷が一番多く，次に骨関節疾患，そして神経難病，

生活不活発病（廃用症候群）などです」[1]と述べています。この「脳損傷」とは脳卒中，交通事故等による脳外傷，低酸素脳症などを総称したもので，発症すると筋力の低下や関節の可動域が制限され，歩行や立ちあがることが困難になります。生活面では着替えや入浴などの日常生活動作が難しくなり，さらに脳の損傷の部位や程度によっては目的に対して適切な行動がとれなくなり，話すことや相手が話している内容の理解ができず，記憶力や注意を集中することも難しくなります。

　こうしたときには一般的に関節の可動域を広げる運動や，筋力をつける運動，さらには歩行訓練を行います。また，文の理解や文字を読む，話すといった言語活動が思ったように出来なくなった場合には言語訓練を行い，日常的なコミュニケーションを回復させるようにします。こうしたことから，リハビリテーションといえば機能訓練を行い，カードをみて，そこに描かれた事物に命名する訓練のことだと思われてしまうのかもしれません。でも，リハビリテーションという言葉は，もっと深い，そして根源的な意味があったのです。

1．「リハビリテーション」という言葉の意味

　ここでは，二人の人物を通して「リハビリテーション」いう言葉の意味を考えてみることにしましょう。

　その一人目はジャンヌ・ダルクです。農民の娘であった彼女は1412年，フランス王国の東の端，神聖ローマ帝国に接するロレーヌ州で生まれます。13歳のとき，神からフランスを救う使命を与えられたことから，フランスとイングランドとが争った百年戦争の前線で指揮をとり，劣勢であったフランス軍の士気高揚に貢献し，ついにフランスに軍事的勝利をもたらします。しかし，その後の戦闘でイングランド軍の捕虜となると異端裁判で男装であることなどを理由に有罪が宣告され，1431年に火刑に処せられ亡くなりました。やがて，フランス王シャルル七世がフランス領を回復してイングランドに勝利するとジャンヌの復権裁判が行われ，1456年には異端であるという判決が取り消され，フラン

1）長谷川幹『リハビリ　生きる力を引き出す』，岩波書店，2019年7月．

生活不活発病（廃用症候群）などです」[1]と述べています。この「脳損傷」とは脳卒中，交通事故等による脳外傷，低酸素脳症などを総称したもので，発症すると筋力の低下や関節の可動域が制限され，歩行や立ちあがることが困難になります。生活面では着替えや入浴などの日常生活動作が難しくなり，さらに脳の損傷の部位や程度によっては目的に対して適切な行動がとれなくなり，話すことや相手が話している内容の理解ができず，記憶力や注意を集中することも難しくなります。

　こうしたときには一般的に関節の可動域を広げる運動や，筋力をつける運動，さらには歩行訓練を行います。また，文の理解や文字を読む，話すといった言語活動が思ったように出来なくなった場合には言語訓練を行い，日常的なコミュニケーションを回復させるようにします。こうしたことから，リハビリテーションといえば機能訓練を行い，カードをみて，そこに描かれた事物に命名する訓練のことだと思われてしまうのかもしれません。でも，リハビリテーションという言葉は，もっと深い，そして根源的な意味があったのです。

1．「リハビリテーション」という言葉の意味

　ここでは，二人の人物を通して「リハビリテーション」いう言葉の意味を考えてみることにしましょう。

　その一人目はジャンヌ・ダルクです。農民の娘であった彼女は1412年，フランス王国の東の端，神聖ローマ帝国に接するロレーヌ州で生まれます。13歳のとき，神からフランスを救う使命を与えられたことから，フランスとイングランドとが争った百年戦争の前線で指揮をとり，劣勢であったフランス軍の士気高揚に貢献し，ついにフランスに軍事的勝利をもたらします。しかし，その後の戦闘でイングランド軍の捕虜となると異端裁判で男装であることなどを理由に有罪が宣告され，1431年に火刑に処せられ亡くなりました。やがて，フランス王シャルル七世がフランス領を回復してイングランドに勝利するとジャンヌの復権裁判が行われ，1456年には異端であるという判決が取り消され，フラン

1）長谷川幹『リハビリ　生きる力を引き出す』，岩波書店，2019年7月．

136

ス救国の英雄として復権しています。この過程を19世紀のフランスの歴史家ジュール・ミシュレは，1840年代にジャンヌ・ダルクについて5巻からなるシリーズ『ジャンヌ・ダルク処刑裁判と復権裁判（Procèsde condamnation et de réhabilitation de Jeanne d'Arc)』で詳述しています。邦題とはやや違いますが，原題を直訳すれば「ジャンヌ・ダルクの信念とリハビリテーション裁判」となります。ここからは，「リハビリテーション」という言葉は19世紀には「復権」の意味で使われていたことがわかります。

　そして二人目が，地動説を唱えたことで1633年にローマ教会の異端審問にかけられ，自説を放棄させられたガリレオ・ガリレイです。このガリレオも1992年，ローマ法王ヨハネ・パウロ2世が当時の教会の非を認め，復権しています。この復権を，現地の新聞は「ガリレオのリハビリテーションなる」と報じていました。

　これで，もうおわかりになったことでしょう。リハビリテーションとは障害を負ったことで失われた運動機能等を運動や訓練によって回復，あるいは残存能力を引き出すことではなく，もともとは，失った名誉や権威を取り戻すことを意味する言葉だったのです。わが国でリハビリテーションという領域を切り開いてきた上田敏は自著のなかで，リハビリテーションは訓練ではなく，「全人間的復権」だと主張しています[2]。このことが，ジャンヌ・ダルクやガリレオ・ガリレイにまつわる出来事からも，よくわかるのではないでしょうか。

　このようにリハビリテーションが，もともとは名誉回復や復権の意味で使われていたことは，［rehabilitation］の語源を辿ることからも納得できます。reは「再び」，habilisはラテン語で「適した」，「ふさわしい」，ationは「〜すること」となり，全体では「再び適したものにする」，あるいは「再び適したものになる」となり，人間が無実の罪などで名誉を喪失した状態から，再び望ましい状態へ立ち返ることを意味していました。

　上田は，障害をもった人に対してリハビリテーションという言葉が使われたのは，「1917年，第一次世界大戦中のアメリカ陸軍病院システムに，傷病兵の

社会復帰のために「身体再建，およびリハビリテーション部門」（Division of Physical Reconstruction and Rehabilitation）を設けたことが最初である」[2]と記し，身体再建は訓練を指し，リハビリテーションは社会への復帰，職業への復帰を指していたと述べています。

2．WHOが考えるリハビリテーションとは

1958年，WHOは「医学的リハビリテーション専門委員会　第1次報告書」を出し，そのなかでリハビリテーションについて，次のように定義しました。「（リハビリテーションは）チームアプローチが基本であり，一つの領域だけで目的を達成することはできない。ふつう医学的リハビリテーションが最初に来るが，並行して，あるいはすぐ続いて，リハビリテーションの教育的・職業的・社会的側面が緊密に協力して行われ，障害発生から社会への再統合までのリハビリテーションの全過程がスムーズに連続して実行されなければならない」。

これが，リハビリテーションとは医学的リハビリテーションに始まり，教育的，職業的，社会的側面から成り立っているとした最初のものとされています。また，リハビリテーションのゴールが社会への再統合とした点は画期的でした。障害を負うことで，これまでの役割を失ってしまっても，リハビリテーションによって再び社会のなかに役割や活動の場を持つことで，社会への再統合を目指そうという方向が示されました。

1969年，同委員会は「第2次報告書」を出し，そのなかで「障害についていう場合には，リハビリテーションとは，医学的，社会的，教育的，職業的な手段を巧みに組み合せて用い，その個人を，機能的な能力の可能な最高水準にまで訓練あるいは再訓練することである」とリハビリテーションの定義を発表しています。

国連が「国際障害者年」と定めた1981年にはWHOから「障害予防とリハビリテーション専門委員会報告書」が出されました。ここでは「リハビリテーションは能力障害や社会的不利を起こす諸条件の悪影響を減少させ，障害者の社

2）上田敏『リハビリテーションの思想　第2版』，医学書院，2004年4月.

会統合を実現することをめざすあらゆる措置を含む。リハビリテーションは，障害者が自分の環境に適応できるように訓練するだけでなく，障害者の直接的環境および社会全体に介入して，その社会統合を容易にすることをも目的とする。障害者自身，その家族，そして彼らの住む地域社会はリハビリテーションに関係する諸種のサービスの計画と実施に関与しなければならない。」としました。

　ここでは，これまでのリハビリテーションの４つの領域は，「あらゆる措置」へと拡大されています。そして，障害者自身，家族が障害にかかわる事象に関与しなければならないとした点は，「私たちの事を私たち抜きで決めないで（Nothing About us without us）」を合言葉にした障害当事者が自らの権利を主張するうねりとなり，2006年に国連が「障害者権利条約」を採択する原動力になっていきます。

　この条約では第26条「ハビリテーションとリハビリテーション」で，「障害者が最大限（maximum）の自立ならびに十分な身体的，精神的，社会的および職業的な能力を達成・維持し，生活のあらゆる側面での完全な包容（インクルージョン）と参加を達成・維持するための効果的で適切な措置（障害者相互の支援（ピア・サポート）を含む）」をとる。「特に，保健・雇用・教育および社会的サービスの分野で包括的なリハビリテーション・サービスを強化する。それらは ① できる限り早期に開始し，② 障害者の属する地域社会のできる限り近くで利用可能であること」としています。

３．ICIDHからICFへ

　1981年の国際障害者年の前年にあたる1980年，WHOは「機能障害・能力障害・社会的不利の国際分類」（ICIDH：International Classification of Impairments, Disabilities and Handicaps）を発表しました。ICIDHは疾患等によって機能・形態障害が起こり，それが能力障害を生み出し，さらに社会的不利を起こすという障害構造モデルを示しました。例えば，脳血管疾患で手足が動かなくなるという機能障害が起ったとすると，そのことで歩行その他の日常生活の行為がこれまでのように行えないという能力障害が生じ，職を失うというような社会的

図10－1　ICIDH：WHO国際障害分類（1980）の障害構造モデル

図10－2　ICF：WHO国際生活機能分類（2001）の生活機能構造モデル

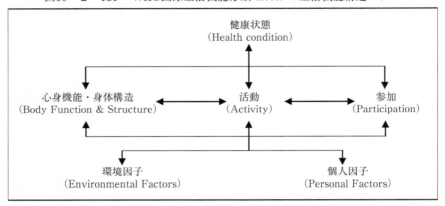

不利な状態になるという経過を辿ります。ICIHDでは，障害という状態はいく
つかの状態が階層構造になっていることを示したということでは斬新なもので
した。

　リハビリテーションに携わる者からは，機能障害は十分に回復しなくても，
リハビリテーションによって能力障害を小さくすることができれば，社会的な
不利は軽減することができ，その人らしく生きる権利の回復ができると歓迎さ
れました。しかしいっぽうで，障害とはマイナスしかもたない存在としてみて
いるという批判等が寄せられたことからWHOは1990年に改定に取り掛かり，
2001年に「国際生活機能分類」（ICF：International Classification of Functioning,
Disability and Health」）を発表しました。

　ICFは障害のマイナス面よりもプラス面を重視し，表現では中性的なものに
なりました。機能障害ではなく「心身機能・構造」，能力障害でなく「活動」，
社会的不利でなく「参加」と表現し，これらが障害された状態はそれぞれ「機
能・構造障害」，「活動制限」，「参加制約」であると考えています。これまでの

ICIDHは障害者だけを対象としていましたが，ICFは障害の有無に関係なくすべての人の状態の評価を可能にしました。

4．当事者からみたリハビリテーション

ここでは熊谷晋一朗さんという障害当事者の視点からリハビリテーションを考えてみましょう。熊谷さんは新生児仮死の後遺症で脳性マヒになり，今も車いす生活を続けています。小中高は普通学校に通い，東京大学医学部卒業後は小児科医として病院勤務を経て，現在は東京大学先端科学技術研究センター准教授をつとめています。

小さい頃の熊谷さんは，「人並みの体にしてあげたい」という親心もあって，早期からリハビリテーションを受けることになりました。一日何時間も行われることもあったそうです。当時は，リハビリテーションを実施すればするほど機能は改善されるという考え方もあり，ボイタ法やボバーズ法，ドーマン法などのさまざまなリハビリテーションが行われていました。そうした日々を熊谷さんは次のように話しています。

「物心つく前から厳しいリハビリを受けていました。私が幼かった頃は"心に介入するリハビリ"の全盛期。脳性まひは身体そのものではなく「脳」の問題であるということが，「心や人格」の問題に拡大解釈されていました。それで，リハビリがうまくいかないのは私自身の努力が足りないからだと。意志の問題だから天井なしに目標を設定され，延々と続く"がんばり地獄"の状態。親やトレーナーに一挙手一投足を監視され，「心」を指導され続けました。家ではもちろん，定期的に泊りがけのリハビリキャンプに参加するなど，"健常な動き"ができるようにと，自分の身体には合わない動きを強いられるリハビリ中心の生活でした」。[3]

こうした当事者からの「"健常な動き"ができるようにと，自分の身体には合わない動きを強いられるリハビリ中心の生活」だったという発言からは，当時が機能障害の回復（機能訓練）に熱心な時代だったことがわかります。そこ

3）「TOKYO人権vol.56（2012年冬号）」（公財）東京都人権啓発センター発行.

にはICIDHの考え方も影響を与え，機能を回復させないと能力障害が生まれ，それは社会的不利を生むことになるから，それを生じさせないためにも機能訓練を行って，健常な動きを獲得させ，能力障害を小さくしようと考えていたのかもしれません。しかし，こうした状況を当事者は「がんばり地獄」とみていたという指摘は，リハビリテーションは何のために行うのかということを考える時のヒントになるのではないかと思っています。あなたのために，といって行われるリハビリテーションが，実は別の人の願いをかなえるために行われていたのかもしれません。

2．行政のなかでのリハビリテーション

1．療育，児童発達支援とリハビリテーション

　日本のリハビリテーションとは，1945年まではポリオ（急性灰白髄炎）等の後遺症をもつ肢体不自由児に対して整形外科医で東京帝国大学医学部教授でもあった高木憲次らが中心になってすすめてきたという歴史があります。高木自身はリハビリテーションという言葉ではなく，医療・教育・職能という三つの視点から指導することが必要だという思いを込めた「療育」という言葉を考えだし，「肢体不自由」という言葉を提唱したことでも知られています。高木は1951年の『療育』（第1巻第1号）に療育の定義を「療育とは，現代の科学を総動員して不自由な肢体を出来るだけ克服し，それによって幸いにも回復したら『肢体の復活能力』そのものを（残存能力ではない）できるだけ有効に活用させ，もって自活の途の立つように育成することである。」と記しています。

　高木は，1948年に東京大学を退職するときに行った最終講義「療育の理念」では，戦後，新たに制定された児童福祉法の「第一章第一條」に「すべて国民は児童が心身共に健かに生まれ且つ，育成されるように努めなければならない。」と制定されたし，これと第35条，第43条及第45条とを睨み合せれば，「國及都道府県は命令の定めるところにより，肢体不自由児を治療すると共に，独立自活に必要な知識技能を与えることを目的とする肢体不自由児施設を設置しなければならない」と記されたことを，「それが肢体不自由児療育事業である。

即ち肢体不自由児の療育と，その施設の必要なることが法律で認められ，且つ，護られることになったのである」[4]とその喜びを述べています。

このように，「療育」とは肢体不自由児への支援というなかで使われた言葉ですが，やがて障害児への支援を包括する言葉になっていったこともあり，子どもの領域ではリハビリテーションという言葉は療育の陰に隠れた存在でした。また，リハビリテーションは，失った機能を獲得するという意味があるが，子どもはさまざまな機能を獲得する過程にあるので「ハビリテーション」という言葉を用いるべきだと考える人たちも多くいました。

とはいえ，子どもたちの療育は，一歳半健診や三歳児健診といった乳幼児健診で発達上の問題があるのではないかとされた子どもたちの受け皿として，地方自治体の母子保健業務のなかで（療育の必要性として）認識され，行政が療育を行う部署をつくることが増えてきました。こうしてできてきたものは「母子通園事業」等と呼ばれ，徐々に増えていき，やがて自治体の設置する療育センターや発達支援センター等へと発展していくことになりました。そして現在では，こうした施設は行政直営ではなく，指定管理者制度により社会福祉法人に運営が任されるようになってきています。そして「療育」という言葉よりは「発達支援」という言葉の利用が急速に増えています。

指定管理の例では東京都の東部療育センターがあります。ここは，社会福祉法人 全国重症心身障害児（者）を守る会が指定管理者になっています。

　　注：指定管理者制度：地方公共団体やその外郭団体に限定していた公の施設（給食センターや公立病院，図書館等）の管理・運営を，株式会社・財団法人・NPO法人等の法人に一括して行わせる制度。

2．行政がリハビリテーションを主導した時代

今ではリハビリテーションといえば，医療機関や介護保険の通所リハビリテーションで受けることが当たり前となり，利用者の自宅にリハビリテーション専門職が来てくれる訪問リハビリテーションも普及してきました。この訪問リ

---

4)「肢体不自由児療育の父，高木憲次先生について　東京大学退職に当たっての最終講義」.
　https://www.ryouiku-net.com/about/treatment.html　2020.8.1.

ハビリテーションでは，訪問によるリハビリテーションが必要だという主治医の指示書（訪問リハビリテーション診療情報提供書等）があれば，利用者が65歳未満か，あるいは65歳以上でも介護認定を受けていない場合は医療機関から，介護認定を受けている場合は介護保険による訪問リハビリテーションを受けることになっています。

　実は，このリハビリテーションを行政が提供していた時代がありました。先駆的な取り組みとしては1970年代から東京都内のある区が，保健師の訪問にPT（理学療法士　以下PT）やOT（作業療法士　以下OT）が同行して機能訓練という名称でリハビリテーションを行っていました。1990年代にはいると地域で暮らす高齢者や障害者の住宅改造費を自治体が助成するようになり，その際，当該自治体の保健師やOT，ヘルパーと建築業者らがチームとしてかかわって住宅改造に取り組む事例もみられるようになりました。岡山県T市では住宅改造後の家庭への訪問調査から，チームがかかわった改造では「離床を目的にした玄関・廊下・居室の改造は，外出などの日常生活行動を広げ，本人のQOLを高めることに役立つ」[5]ことが明らかにされています。

　1981（昭和56）年には身体障害者福祉センターの設置が始まります。当時の旧厚生省の要綱は，身体障害者福祉センターを「無料又は低額な料金で，身体障害者に関する各種の相談に応じ，身体障害者に対し，機能訓練，教養の向上，社会との交流の促進及びレクリエーションのために必要な便宜を総合的に供与する施設」と規定し，「A型：身体障害者の福祉の増進を図る事業を総合的に行う。B型：身体障害者が自立した日常生活及び社会生活を営むために必要な事業を行う」という二つの仕組みを提示しました。A型は主に県が設置し，B型は市町村が設置するようになりました。B型の施設基準には機能訓練室，ADL室が入りました。これは現在の回復期のリハビリテーション病院と同等なもので，当時は脳血管疾患発症後に身体のマヒ等が残った方の生活期のリハビリテーションを行政が支えようとしていました。

5）本干尾八州子，田中操子「高齢者・障害者のための住宅改造と支援チームの効果」，『岡山大学医学部保健学科紀要』，12:45-52,2001.

3. 機能訓練事業が始まる

　1973（昭和48）年，老人福祉法が改正されました。この改正により老人医療費公費負担制度が導入され，老人医療費無料化が始まるのですが，これによって高齢者の医療費が年々膨らみ，医療機関が老人のサロンとなる事態がみられたことから，1983（昭和58）年に老人保健法が施行され，老人医療費無料化は廃止されました。

　この老人保健法の特徴は，予防から治療，リハビリテーションに至る包括的な保健サービスを自治体が提供し，40歳以上の全住民を対象に成人病の予防に力を入れたことでした。具体的には，老人保健法では「健康手帳の交付」「健康教育」「健康相談」「健康診査」「機能訓練」「訪問指導」という6つの保健事業が掲げられました。「健康教育」「健康相談」が一次予防，「健康診査」が二次予防，「機能訓練」「訪問指導」が三次予防という役目をもち，そのなかで連携を促す媒体として「健康手帳の交付」が位置付けられました。三次予防とされた「機能訓練」とはリハビリテーションのことで，これを実施するために理学療法士PTや作業療法士OTが行政とかかわることになりました。

　この「機能訓練」もA型とB型があり，A型を「基本型」，B型は「地域参加型」とし，前者は40歳以上で疾病，外傷その他の原因による身体または精神機能の障害，または低下に対して訓練を行う必要がある者が対象とされ，後者は虚弱老人が対象でした。「訪問指導」の対象は40歳以上で心身の状況，おかれている環境によって療養上の健康指導が必要であると認められる者に対し行われました。これらの事業は保健師が中心となって推進され，そこにPTやOT等もかかわり，リハビリテーションも提供していました。

　こうした事業の推進や，身体障害者福祉センター設置の動きもあったことから先進的な自治体のなかにはPTやOT，言語聴覚士（以下ST）を正規職員として採用するところがでてきました。こうしたなかで，著者はSTとして身体障害者福祉センターと，就学前の障害児の療育を兼務する職員として自治体に採用され，この「機能訓練」や「訪問指導」に携わっていくことになりました。

3．介護保険とリハビリテーション

1．介護保険導入後の変化

　2000（平成12）年に，5つ目の保険制度となる介護保険制度が動き出すと，介護保険利用者は,機能訓練事業を重複して利用してはならないとの厚生労働省からの通達もあった影響で機能訓練事業を中止する市町村が出てきます。この通達の影響は身体障害者福祉センターで行っていた機能訓練の廃止や縮小を招き，機能訓練という名前で実施されていたリハビリテーションのサービスのほとんどが介護保険に引き継がれる形になってしまいます。このことで，それまでの自治体の予算の範囲内で行われていた機能訓練（リハビリテーション）は，社会保険方式で提供されることになり，利用が増え，提供されるサービス量も飛躍的に伸びることになりました。また，要介護状態となっても可能な限り居宅で日常生活を営みながら，生活機能の維持又は向上を目指すための通所リハビリテーションも誕生しました。

　さらに，この2000（平成12）年には医療の分野でも大きな変化がありました。それは「回復期リハビリテーション病棟」の創設です。この病棟は，命を救うことを使命とする急性期病院での治療によって安定した脳血管疾患の患者や，大腿骨頚部骨折等の患者に対して集中的にリハビリテーションを提供して「起きる，食べる，歩く，トイレへ行く，お風呂に入るなどの日常生活動作（ADL）」の向上を図り，家庭や社会への復帰を目標としました。こうして，自治体が高齢者のリハビリテーションを担わずとも介護保険や医療保険の領域で必要なリハビリテーションが提供される体制が整ったことで，行政がリハビリテーションを提供する時代は終焉を迎えることになったといってもよいでしょう。

　こうした制度の転換にあって，各地の身体障害者福祉センター，特にADL室や機能訓練室をもつB型を存続させる自治体もあれば廃止する自治体もでてきました。存続させるという判断を行った自治体は，身体障害者福祉センターを地域活動支援センターに衣替えしたところもあれば，名称から「身体」をはずし，「障害者福祉センター」として身体障害者以外にも利用者をひろげ，障

害者に創作活動の機会を提供し，ボランティアの養成を行うといった活動を行っているところもあります。私がかつて勤務したK市身体障害者福祉センターも，地域活動支援センターに衣替えし，介護認定を受けていない身体障害者に創作活動の場を提要していますが，機能は縮小され，開設以来，20年以上一度も使われることがなかったADL室は風呂場やトイレが撤去され，児童発達支援センターの事務所，相談室に生まれかわり，これまた活用されなかったB型身体障害者福祉センターに必置の図書室は，介護保険の認定審査会室に転用され，買いそろえた書籍は廃棄されました。

２．機能訓練事業の評価と，その後のリハビリテーションの評価

　先に紹介した機能訓練事業や訪問指導事業を含む保健事業は，2004（平成16）年に厳しい評価を受けることになりました。「老人保健事業の見直しに関する検討会」の中間報告は老人保健法の保健事業については，「国民の疾病の予防，治療，リハビリテーション等の一連のサービスを総合的かつ体系的に提供するために，昭和57年度以来，４次に及ぶ計画に基づき，20年余りの長期にわたり各種の事業（サービス）を展開し」，「健康教育」及び「健康相談」が一次予防，「健康診査」が二次予防，「機能訓練」及び「訪問指導」が三次予防として役割を担っていたが，国民への浸透が不十分であったと指摘しました。

　地域においてリハビリテーション活動を行う機能訓練や，対象者の自宅に出向いて保健指導を行う訪問指導は，高齢者に対するサービス提供の一つとして先駆的な取組となりましたが，そのリハビリテーションは，主に身体機能の改善に着目した訓練が中心で，生活機能低下予防の視点が欠け，その人の望む暮らしを後押しするような生活機能を維持，あるいは向上させるものにはならなかったと評価しています。そして，６事業は改善のうえで介護予防事業として新たに展開していく必要があるとしました。

　期待されるリハビリテーションですが，その評価は，これに似たものが，この後も続いています。例えば，厚生労働省が設置した「高齢者リハビリテーション研究会」が2003（平成15）年１月にまとめた「高齢者のリハビリテーションのあるべき方向」は，地域で通所リハビリテーションや訪問リハビリテーシ

ョンとして提供されているリハビリテーションは、「個人の状態や希望等に基づく適切な目標の設定とその達成に向けた個別性を重視した適時適切なリハビリテーションが必ずしも計画的に実施できていないのではないか（依然として、訓練そのものが目的化しているのではないか）」や「「身体機能」に偏ったリハビリテーションが実施され、「活動」や「参加」などの生活機能全般を向上させるためのバランスのとれたリハビリテーションが依然として徹底できていないのではないか」と厳しく指摘しています。

　その後に行われた「生活期リハビリテーションに関する実態調査報告書（平成25年度調査）」からも、地域で通所リハビリテーションや訪問リハビリテーションで提供されているプログラムが、「関節可動域訓練」や「筋力増強訓練」、さらには「体操」や「マッサージ」といった身体機能に偏ったリハビリテーションを未だに提供しており、その実施時間も20分間が圧倒的に多く、ここからも画一的なリハビリテーションが行われていることが読み取れ、生活機能全般を向上させるとされる「トイレ動作訓練」や「入浴動作訓練」「移乗動作訓練」が十分に行われていない、と指摘されました。

　このように、機能訓練事業の課題とされた「主に身体機能の回復を目的としてきた機能訓練」に偏っているという指摘と同じことが延々と指摘され続けているのです。これは、個人の暮らしや願いをかなえるリハビリテーションがいまだに確立されず、身体の機能訓練に偏ったリハビリテーションが未だに延々と続いているということです。2000年に国連は新たにICFという考え方を示したのですが、行っていることはICIDHの影響を強く受けているのが現状といえるではないでしょうか。

4．高齢者の急増とリハビリテーション

1．地域包括ケアシステムのなかのリハビリテーション
　戦後、団塊の世代と呼ばれる一群が生まれました。一般的に1947（昭和22）年から1949（昭和24）年にかけての3年間に生まれた人を団塊の世代といいます。現在の年間出生数は100万人をきっていますが、この三年間は毎年、出生

数が260万人を越えていました。この団塊の世代と呼ばれる最大の集団は年齢を重ねながら，高齢化へ向かう階段を上ってきました。そして，2025年には，この団塊の世代の全員が75歳以上の後期高齢者になることがわかっています。政府は，この2025年を目途に地域包括ケアシステムを構築しましょうといっています。これは高齢者が要介護状態になっても住み慣れた地域で自分らしい暮らしを人生の最後まで続けることを可能にする仕組みです。この地域包括ケアシステムは，概ね30分以内に必要なサービスが提供される日常生活圏域，具体的には中学校区を単位として想定され，そこで医療・介護・予防・住まい・生活支援が包括的に確保されることを目指すと説明されています。

　ここでも，実はリハビリテーション専門職は今まで以上に重要なことを期待されています。それが地域リハビリテーション活動支援事業です。この事業では，リハビリテーション専門職が地域包括支援センターと連携し，住民が運営する通いの場に定期的に関与し，地域ケア会議やサービス担当者会議に専門家として参加して，高齢者の自立支援や介護予防につながるような助言を行うことが求められるようになりました。

　こうしたなかで，今までのような通所や訪問のリハビリテーションで行っていた機能訓練だけではなく，その人の出来る事を増やし，自分らしい暮らしに踏み出す力を与えることに関与することも求められれば，日常的に介護を行っている家族や介護職員への助言から対応力の向上といったことも担うことが求められています。これは，リハビリテーション専門職が医療機関から出て，地域での生活のなかで必要なものを見つける視点を獲得することに役立つはずです。そして，退院後の暮らしをイメージしたリハビリテーションが医療機関のなかで提供されるようになるでしょう。つまり，こうした地域リハビリテーション活動支援事業にリハビリテーション専門職がかかわると，今までにない視点を獲得することができるようになります。それは，リハビリテーション専門職の力量をあげ，退院後の暮らしを見すえたリハビリテーションの実施を可能にすると思われます。

2．消えない危惧

　でも，心配もあります。その一つは「機能訓練ばかりを行っている」といった指摘が何度もされているなか，地域包括ケアシステム構築の動きのなかで旧態依然の機能訓練ばかりを行っていれば，今後，リハビリテーション専門職に対する信頼は揺らぐに違いないという危機感を，どれだけのリハビリテーション専門職がもっているのでしょうか。関係者の期待に応えるリハビリテーション専門職の養成を，彼らをかかえる医療機関や職能団体がどこまで行えるのだろうかという心配です。

　そして，もう一つは，この地域リハビリテーション活動支援事業が，医療機関に在籍するリハビリテーション専門職によって行われるだろう，と自治体が期待をしていないだろうかという心配です。今でさえ，リハビリテーション専門職は日々の業務に追われています。回復期のリハビリテーション病院では365日，途切れることなくリハビリテーションを行っています。こうした厳しい医療機関の働き方のなかで，地域で活躍するリハビリテーション専門職を確保できるのでしょうか。老人保健法のもとでの機能訓練事業が行われていた時代には自治体がリハビリテーション専門職を正規職員として採用することもありましたが，今は自治体に直接雇用されているリハビリテーション専門職が増えているという話は聞きません。今でも自治体で介護予防に活躍しているリハビリテーション専門職はいますし，その何人もの方を知っていますが，いつも同じ顔ぶれのように感じています。

　そして，最後にもう一点。これはリハビリテーション専門職の養成機関で日本の高齢化や家族形態の変化といったことから高齢者へのケアマネジメント，地域全体を意識した支援をマネジメントする視点といった，地域包括ケアシステムの構築が求められている時代に即した教育が提供されていないことへの心配です。こうした内容を学ぶとすれば，恐らく1年生のときの「リハビリテーション概論」等であろうと思います。講義が全15回とすれば，せいぜい1回か，2回分の時間しかないでしょう。これで地域包括ケアシステムや地域の支援について学ぶことは不可能だと言わざるを得ません。

　私は，この地域リハビリテーション活動支援事業とは，冒頭でも紹介したよ

うにリハビリテーションの本来の意味でもある「復権」，その人が社会のなか
で失った役割や活動を再び手にすることができるチャンスになると考えていま
す。そして，これは機能訓練しかできないと指摘されてきたリハビリテーショ
ン専門職には，専門職としての最後の復権の機会になるように感じています。

5．未来のリハビリテーションの予感

1．難病者の働きたいをかなえる分身ロボット

　リハビリテーション＝機能訓練ではありません。リハビリテーションの一部
に機能訓練がありますが，本来の意味は上田がいうように「全人間的復権」[6]
です。具体的にいうと社会のなかに自らの役割や活動する場をもちたいと思っ
ていれば，その願いの実現を支援することもリハビリテーションだといえま
す。例えば，ALS等の神経難病によって人工呼吸器等を使用している障害者
は，住まいから離れた職場へ出向いて仕事をすることが困難です。でも，自ら
の分身となるロボットが，自分の代わりに職場で仕事をすることはできないで
しょうか。実は，職場に出勤することが困難な障害者が分身ロボットを操作し
て，カフェの店員になるということが可能になっています。可能にしたのは分
身ロボット「OriHime-D」です。この分身ロボットは，カフェのお客さんのと
ころに行って注文を聞き，商品ができるとお客さんのもとに届けることができ
ます。でも，この分身ロボットを操作している障害者はカフェにはいません。
自らの住まいからインターネット経由で分身ロボットを操作してお客さんの注
文を聞き，お客さんとの会話を楽しむこともできるようになりました。

　こうした支援機器やシステムによって，行動に制限がある人にも社会に活動
の場所を作り出していくことが可能な時代になっています。リハビリテーショ
ンの専門職の役割は，使用する人が分身ロボット等の操作が行いやすいように
機器を調整することや，姿勢維持のための工夫といった，人と機器をフィット
させるすり合わせ作業になるでしょう。

6）上田敏『リハビリテーションの思想　第2版』，医学書院，2004年4月.

他にも，視覚機能の問題や，ディスレクシア＝読み書き困難という脳の機能の問題によって文字情報が理解できないという困りごとを解決するディバイスも開発されています。OTON GLASS＝オトングラスと名付けられたメガネ型ディバイスは，読みたい文字列の先頭を見て，瞬きをする，あるいは読みたい文章を見て，メガネにあるボタンを押すと，その部分を音声で読み上げてくれます。リプレーボタンがあるものでは，その内容を何度も音声で読みあげてくれます。

　生まれつきの難聴の女性が東京都北区の区議会議員を務めたことがあります。彼女は手話ができず「筆談」で意思疎通を行っていました。区議会議員選挙ではトップで当選したのですが，当時の新聞記事をみると手話ができない聴覚障害者はおかしいという否定的な評価があったことが記されていました。ですが，彼女は，議会では他の区議が発言した内容も，区の担当者の答弁も手話通訳なしで理解することができました。なぜ，手話がなくても相手の発言を理解することができたのでしょうか。それは音声を即座に文字に変換するソフトによって提供される字幕で他の区議の質問を理解し，区の担当者の答弁を理解していたのです。勿論，彼女自身も一般質問を行っています。それを可能にしたのはPCに組み込まれた音声読み上げソフトでした。原稿は彼女自身が入力したもので，彼女がPCのエンターキーを叩くと，PCが彼女に代わって音声で質問を行っていました。

　こうした機器＝ディバイスの開発，利用はさらにすすむでしょう。その開発や当時者へのフィッティングが，リハビリテーションのなかに入ってくるかもしれません。当事者のどのような生活機能が機器で代替できるのか，アシストできるのかということを考えるのもリハビリテーションに求められるのではないでしょうか。

２．障害当事者だけに努力を求めることの可否

　その昔，私自身は就学前の難聴児の発音指導を行っていました。鳥の羽やストローといった日常にあるものを使い，いわば職人技的な方法で発音指導を行っていました。師匠は聾学校の教員で，放課後，師匠のもとに通い指導を受け

たものです。こうした指導を行っても健聴者のような発音にならないことも多く，うまくいかないと難聴児と保護者の努力が足りないからだと思い，かなりハードな指導を行った記憶があります。

　これまでのリハビリテーションは，本人に努力してもらい，専門職はそれを支援するということが標準的なスタイルでした。これは，まさにICIDHモデルであり，その背景には医学モデルがありました。でも，これからは社会の側も努力することが必要です。例えばNHKは2012年から「NEWS WEB EASY やさしい日本語で書いたニュース」をネットで提供しています。これは日本に暮らす日本語の理解が十分でない外国人向けのニュースサイトです。使っているのがわかりやすい「やさしい日本語」なのです。漢字にはフリガナがつき，人の名前や場所の名前，会社やグループの名前は色分けして表記されています。「ウイルス」といったわかりにくい言葉は解説もあり，「ニュースを聞く」というボタンを押すと，音声でニュースを読みあげてくれます。私は，これを軽度の知的障害の方や，脳血管疾患等で言葉の理解に支障がある失語症の方にすすめています。すべての方が利用できるとは思っていませんが，合理的な配慮の一つではないかと考えています。これからは，当事者が努力することがリハビリテーションではなく，当人の努力に併せ，社会の側，私たち一人ひとりが，配慮を行い，障害の有無にかかわらず，さまざまな人が自分らしく暮らしていけるように地域全体を調整することも立派なリハビリテーションになると考えています。さて，あなたはこれからのリハビリテーションをどう考えますか。その答えを探す旅に一緒に出てみましょう。

（元鎌ヶ谷市役所・言語聴覚士）

第11章　精神保健医療福祉の変遷

田 坂 美 緒

1．精神障害者をめぐる近年の政策と動向

　1900（明治33）年，精神病者監護法が制定された。精神保健福祉領域におい
て，日本で初めての法律である。精神障害者の保護と社会治安を目的としてい
るが，監護義務者が患者を監置するという私宅監置を主な目的とする法律であ
る。

　1948（昭和23）年に「保健所法」が制定され，保健所が公衆衛生活動の拠点
となり，精神障害者対策も警察行政から公衆衛生行政へと変更された。1950（昭
和25）年，精神衛生法が制定され，長きにわたり続いていた私宅監置制度や，
精神科病院等施設外収容が禁止，廃止された。新たに措置入院制度や医療保護
入院制度が設けられた。

　これまで隔離的措置が主であったが戦後私宅監置は禁止された。

　1964（昭和39）年，ライシャワー駐日米国大使刺傷事件により日本の精神障
害者に対する精神医療の在り方が大きな社会問題となり翌年精神衛生法一部改
正に至る。これにより，保健所が地域における精神保健行政の第一線機関とし
て位置づけられた。

　1984年（昭和59）年に宇都宮病院事件が発生。これにより入院患者医療の悲
惨な実態が明らかとなった。日本の精神医療の在り方や社会復帰施設が不十分
であることを国際的にも批判を受け，1987（昭和62）年，精神保健法制定。精
神障害者等の医療及び保護，社会復帰の促進，並びにその発生の予防，その他
国民の精神的健康の保持及び増進，精神障害者等の福祉の増進及び国民の精神

保健の向上を図ることを目的とする法律である。二つの事件を転機に精神障害者の社会復帰がとりあげられ，精神障害者社会復帰施設に関する規定や，人権保護の観点から任意入院制度が定められた。

2. 障害者基本法の成立

　1993（平成5）年には精神保健法一部改正され，精神障害者地域生活援助事業（グループホーム）が法定化され，精神障害者社会復帰促進センターが創設，そして社会復帰施設から地域社会へという概念が生まれた。

　同年，障害者基本法制定され，障害の範囲に，精神障害が明確に位置づけられた。精神障害を含めた障害者対策が，保健，医療，福祉，教育，就労，年金・手当，住宅，公共施設・交通機関の利用等に関して，総合的に推進されることとなった。

　1995（平成7）年の精神保健福祉法制定。障害者基本法の成立を受けて，精神保健法が大幅に改正されてできた法律である。精神障害者が法的にも明確に「障害者」として認知されることになり，法律の中に精神障害者福祉がうたわれることとなった。目的に「自立と社会経済活動への参加」が加えられ，社会復帰施設4類型が定められた。その後も5年毎に法律が見直され，精神障害者の社会復帰のいっそうの推進が図られた。

3. 社会復帰を踏まえて

　2000年代に入り，精神障害福祉領域においてさらなる社会復帰の推進が図られる。2004（平成16）年　厚生労働省「精神保健医療福祉の改革ビジョン」では，今後10年間，「入院医療中心から地域生活中心へ」という基本的な方策で進められることとなった。「受入条件が整えば退院可能な者（約7万人）」を10年後には解決を図るとも明記されている。

　2006（平成18）年　障害者自立支援法が制定された。障害の有無にかかわらず国民が相互に人格と個性を尊重し安心して暮らすことのできる地域社会の実

現が目的とされた。

　地域での自立生活を基本に，特性に応じ，障害者の生涯の全段階を通じた切れ目のない総合的な利用者本位の支援を行うとされており，これまでの施設を中心とした福祉体系が大きく見直されることとなった。障害者の地域生活への移行や就労支援といった事業が創設されることとなり，障害者の就労支援の強化や地域社会資源活用の規制緩和がうたわれた。

　2012（平成24）年，障害者総合支援法制定（2013年施行）。障害者の日常生活及び社会生活を総合的に支援するための法律であり，障害福祉サービスによる支援に加えて，地域生活支援事業その他の必要な支援を総合的に行うこととなった。

　2009（平成21）年，今後の精神保健医療福祉のあり方等に関する検討会において，厚生労働省は，国民の４人に１人が生涯でうつ病等の気分障害，不安障害及び物質関連障害のいずれかを経験したことがあると発表した。このほか，厚生労働省は高齢化の進行に伴って急増しているアルツハイマー病等の認知症や発達障害等も含まれており，精神疾患は，国民に広く関わる疾患であるとしている。

4．精神保健医療福祉

　こうしたことから，地域において，本人が望む生活を送れるように支援する体制を構築することが必要であるとされた。しかしながら，我が国における精神保健医療福祉については，長い間，長期にわたる入院処遇を中心に進められてきた。

　このような背景の下で厚生労働省は，精神保健医療福祉の改革ビジョンを掲げた「国民意識の変革」「精神医療体系の再編」「精神保健福祉施策の基盤強化」を柱に「入院医療中心から地域生活中心へ」という基本理念を打ち出した。

　精神障害者も，当然に，国民・地域住民の一人として，結婚や子育て，就労など，本人が望む生活を安心して送ることができるような地域社会の構築が求められる。精神障害者の住み慣れた地域を拠点とし，精神障害者本人の意向に

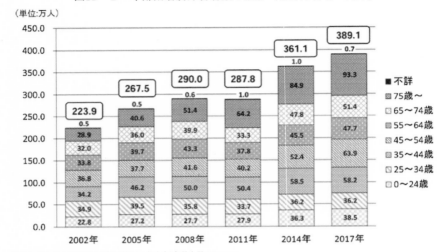

図11-1　年齢階層別障害者数の推移（精神障害者・外来）

（単位:万人）

注1）　2011年の調査では宮城県の一部と福島県を除いている。
注2）　四捨五入で人数を出しているため，合計が一致しない場合がある。
　　　内閣府「令和元年版障害者白書：参考資料」236頁より引用。
　　　https://www8.cao.go.jp/shougai/whitepaper/r01hakusho/zenbun/siryo_02.html

即して，本人が希望する地域生活の実現のため，支援体制の充実が必要である。

　精神疾患を有する総患者数の推移や，長期入院精神障害者の地域移行に向け，地域生活中心という理念を基軸としながら，精神障害者の一層の地域移行を進めるための地域づくりを推進する観点から「精神障害にも対応した地域包括ケアシステム」の構築を目指すことを新たな理念として明確にした。

5．地域共生社会と精神障害者

　厚生労働省は，「地域共生社会」の実現を掲げ，「ニッポン一億総活躍プラン」(2016年6月2日閣議決定）や，「『地域共生社会』の実現に向けて（当面の改革工程)」(2017年2月7日　厚生労働省「我が事・丸ごと」地域共生社会実現本部決定）に基づいて，その具体化に向けた改革を進めている。

　繰り返すが，2013年障害者自立支援法に代わり障害者総合支援法が施行され

た。障害福祉サービスによる支援に加えて，地域生活支援事業その他の必要な支援を総合的に行うとされている。

2017年2月の「これからの精神保健医療福祉のあり方に関する検討会」報告書では，「地域生活中心」という理念を基軸としながら，精神障害者の一層の地域移行を進めるための地域づくりを推進する観点から，精神障害者が，地域の一員として，安心して自分らしい暮らしができるよう，医療，障害福祉・介護，社会参加，住まい，地域の助け合い，教育が包括的に確保された「精神障害にも対応した地域包括ケアシステム」の構築を目指すことを新たな理念として明確にした。

6．就労継続支援B型事業所の可能性

『地域共生社会」の実現に向けて（当面の改革工程）』では，問題の背景として障害者や高齢者，子どもなど対象を区分して実施されている公的支援制度の「縦割り」には限界があることを指摘されている。

就労支援の場において，対象者は利用者である一人の人間であり，そこに「母親」という概念はないように感じる。

総合的な支援を目指し，共生社会を実現するためには，障害福祉の中で，親子支援を視野に入れた支援が必要であると考える。

就労継続支援B型事業所内において，就労相談の他に，生活面の悩み等の相談を受ける機会を非常に多く，それぞれが目指す社会復帰に向けて，期待される機能は多様である。契約期限もなく，それぞれのペースで活動が出来る場でもある。こういったことから，就労継続支援B型事業所は，母親にとって，子育てをしながら社会復帰を目指す有効的な場であると考える。

しかし，現状ではまだそういった支援体制は十分であるとは言えない。縦割りとなってしまいがちである，支援体制の実態を調査し，課題の明確化が必要である。

7．精神障害者の育児サポートの課題

　山中亮によると，日本では，精神障害のある親の育児をサポートする体制はまだ十分に整っていないのが現状である，という。精神障害のある親子のさまざまなニーズに対応した子育て支援の整備が重要となってくると考えられる。精神障害のある親の問題では，特に精神保健福祉を担当する部門と児童福祉を担当する部門が常に協力して支援していくことが必要とされ，よりいっそうの機関間の協働が求められることとなる。

　山中亮は，いかに協働していくか，そして円滑に協働していくためにはどのような制度や対策が必要となるのかを検討することは，今後の重要な課題の一つとなる，としている。

8．精神障害者にも対応した地域包括ケアシステム

　既述のように厚生労働省は，2017（平成29）年より「精神障害にも対応した地域包括ケアシステム」の構築に向け取り組みを始めた。これは精神障害者が地域の一員として，安心して自分らしい暮らしをすることができるよう，医療，障害福祉・介護，住まい，社会参加（就労），地域の助け合い，教育が包括的に確保されたシステムのことである。

　このしくみが，「入院医療中心から地域生活中心へ」の理念を支えるものになり，また，多様な精神疾患等に対応するための土台づくりとしての基盤整備にもつながることが期待されている。

（就労継続支援Ｂ型事業所施設長）

参考文献

　1）小野田咲，長江美代子「精神障がい者が継続して地域で生活できるための

　支援活動の現状と課題」『日本赤十字豊田看護大学紀要6巻1号』，P21-30，
　2011.
2）厚生労働省「これからの精神保健医療福祉のあり方に関する検討会」報告書，
　2017。
3）厚生労働省「精神障害にも対応した地域包括ケアシステムの構築に係る検
　討会」
　https://www.mhlw.go.jp/stf/seisakunitsuite/bunya/chiikihoukatsu.html.
4）厚生労働省「精神保健医療福祉の改革ビジョン以降の取り組み，国の政策
　と方向性，メンタルヘルス」
　https://www.mhlw.go.jp/kokoro/nation/vision.html.
5）厚生労働省「精神保健福祉法について，国の政策と方向性，メンタルヘルス」
　https://www.mhlw.go.jp/kokoro/nation/law.html.
6）松岡治子，川俣香織，井上ふじ子，浅見隆康「精神障害者の家族支援に関
　する研究（1）－家族のための心理教育に対する迷いと期待－」『群馬保健学
　紀要25』，P165-174，2004.
7）山中亮「精神しょうがいのある親とその子どもの支援」『北海学園大学学園
　論集139』，P97-105，2009.
8）横倉聡（2017）「わが国の精神保険医療福祉施策，100年の歴史から学ぶこと」
　『東洋英和女学院大学　人文・社会科学論集〈研究ノート〉』第35号，2017年。

第12章　保健師の役割と意義

小板橋恵美子

1．保健師

1．国家資格

　保健師とは保健師・助産師・看護師法で定められた国家資格であり，「厚生労働大臣の免許を受けて，保健師の名称を用いて，保健指導に従事することを業とする者をいう」とされている。なお，保健師は名称独占であり，医師や歯科医師，栄養士等が保健指導を行うことを妨げるものではない。平成18年の保健師・助産師・看護師法の改正により，保健師の免許登録要件に看護師国家試験合格が追加され，保健師は両方の試験に合格することが必要になった。また，保健師資格を生かして，免許取得後に一定の条件を満たしている場合は養護教諭免許２種，衛生管理者を申請することができる。

2．行政勤務が多い

　平成30年末現在の就業保健師は52,955人（人口10万対41.9人）であり看護師1,218,606人（同963.8人）に比べるとかなり少ないが，高齢化の進展や母子保健の充実といった社会的要請を受けて，近年微増傾向にある[1]。また，平成５年の法改正により男性も保健師を目指すことができるようになったが，年々増加しているものの保健師就業者の中ではまだまだ少数派である。

　保健師は公衆衛生看護に従事することから，行政に勤務することが多い（表12－１）。平成30（2018）年12月31日における保健師の就業場所は市町村保健センターが半数以上を占め，次いで保健所，病院・診療所，工場・事務所など

表12-1 就業場所別にみた就業保健師 (実人員)

平成30年末現在

	保健師		助産師		看護師		准看護師	
	実人員	常勤換算数	実人員	常勤換算数	実人員	常勤換算数	実人員	常勤換算数
実 人 員 ・ 常 勤 換 算 数 （人）								
総　数	52,955	49,241.4	36,911	33,563.9	1,218,606	1,124,151.7	304,479	267,306.9
病　院	3,307	3,141.4	23,199	22,211.0	863,402	831,069.7	116,434	108,619.3
診療所	2,003	1,824.5	8,148	7,045.6	155,986	126,442.6	98,134	83,167.5
助産所	1	0.5	2,103	1,794.6	190	150.9	118	101.1
訪問看護ステーション	259	221.7	16	15.0	51,740	44,569.2	5,066	4,218.6
介護保険施設等	1,336	1,274.8	…	…	89,270	72,890.2	70,604	59,607.6
社会福祉施設	421	370.6	24	16.5	18,897	15,822.8	9,975	8,466.0
保健所	8,100	7,670.5	368	194.2	1,237	681.6	49	24.9
都道府県	1,351	1,291.4	18	10.5	1,003	723.5	33	21.1
市区町村	29,666	27,326.0	1,273	656.7	7,139	4,627.3	1,005	606.7
事業所	3,349	3,158.1	23	15.2	4,784	4,042.1	1,048	840.3
看護師等学校養成所又は研究機関	1,148	1,108.8	1,533	1,473.5	16,867	16,226.9	46	40.5
その他	2,014	1,853.1	206	131.1	8,091	6,904.9	1,967	1,593.3
構 　成 　割 　合 （%）								
総　数	100.0	100.0	100.0	100.0	100.0	100.0	100.0	100.0
病　院	6.2	6.4	62.9	66.2	70.9	73.9	38.2	40.6
診療所	3.8	3.7	22.1	21.0	12.8	11.2	32.2	31.1
助産所	0.0	0.0	5.7	5.3	0.0	0.0	0.0	0.0
訪問看護ステーション	0.5	0.5	0.0	0.0	4.2	4.0	1.7	1.6
介護保険施設等	2.5	2.6	…	…	7.3	6.5	23.2	22.3
社会福祉施設	0.8	0.8	0.1	0.0	1.6	1.4	3.3	3.2
保健所	15.3	15.6	1.0	0.6	0.1	0.1	0.0	0.0
都道府県	2.6	2.6	0.0	0.0	0.1	0.1	0.0	0.0
市区町村	56.0	55.5	3.4	2.0	0.6	0.4	0.3	0.2
事業所	6.3	6.4	0.1	0.0	0.4	0.4	0.3	0.3
看護師等学校養成所又は研究機関	2.2	2.3	4.2	4.4	1.4	1.4	0.0	0.0
その他	3.8	3.8	0.6	0.4	0.7	0.6	0.6	0.6

資料）厚生労働省「平成30年衛生行政報告例（就業医療関係者）の概況」，より作成。

の事業所となっている[1]。このほか，地域包括支援センターや福祉施設，訪問看護ステーションなどに勤務する保険師もいる。市町村に勤務する保健師の配属先は自治体により異なるものの，保健センターをはじめとする保健部門が多いが，高齢者福祉や介護保険に関する福祉部門，職員の健康管理を担う職員課といった総務部門もあげられる。なかには養護教諭に関わる事務として教育委員会に配属されることもあり，様々である。

2．保健師活動と展開方法

1．活動について

保健師の活動は，地域において「地域診断→健康課題の抽出→課題解決のための活動の計画→実践→評価」のプロセスをたどる。保健師活動の特徴の一つは，一定の地域や地区に関する健康情報を収集・分析し，地区の健康課題を明らかにする地域診断を行うことである。地域診断に用いる情報は国や自治体などによる統計情報や健康指標，当該地域住民を対象とした各種調査結果，地域にある社会資源や保健医療福祉サービスの状況のみならず，地域の文化や歴史など住民の生活に関連するあらゆるものである。また，これらの情報は資料のみならず，家庭訪問や健康教育などを通して，住民から直接得られる情報や，実際に地域を歩いて見て把握できたことなど保健師の日常的な活動を通したあらゆる事象から得ていく。そして住民個々の健康ニーズから家族や集団が抱える共通の健康問題を見いだし，地域の課題へと焦点を当てていく。

すなわち保健師は住民一人一人の健康の維持・増進に向けた保健指導を行うのみならず，集団や一定の地域の健康状態を把握し，地域全体の健康レベルの向上をはかる活動を展開する。集団や一定の地域を対象として健康への支援を行い，公衆衛生活動を展開することから，必然的に行政での活動に従事する保健師が多くなる。

市町村保健センターや保健所などに勤務する保健師が業務を遂行していく方

1）厚生労働省：平成30年衛生行政報告例（就業医療関係者）の概況令和元年9月4日，
　　https://www.mhlw.go.jp/toukei/saikin/hw/eisei/18/dl/gaikyo.pdf.

法として，地区分担と業務分担がある。地区分担とは保健師が担当する地区を定め，新生児から高齢者まで担当地区住民全員を対象に活動を行うものである。業務分担とは保健事業や業務内容ごとに担当保健師を決めて，活動する方法である。実際の保健師活動はいずれかを選択しているのではなく，地区を担当しながら，保健事業ごとに業務分担をしている，というのがほとんどである。

2．家庭訪問

　保健師活動では，地域住民や集団に対して，家庭訪問，健康相談，健康診査，健康教育などのアプローチ方法がとられる。特に家庭訪問は，健康上のトラブルを抱えていたり，リスクを抱えている住民の生活場面や状況を具体的に把握・理解したうえで，実行可能性の高い健康行動を支援するために有効な手段である。また，保健師のイメージを家庭訪問とつなげてとらえる住民も多い。保健師の家庭訪問は，把握された住民のみならず，家族を単位として支援することと，行政の保健師は法的な根拠を持って家庭訪問を行っていることに特徴がある。健康上のトラブルを抱えていても支援を拒否する住民に対し，その意思に反してアプローチすることの困難に加え，その私的空間に立ち入ることの困難は想像に難くない。しかし，母子保健法や感染症予防法などでは「訪問指導」が規定されており，住民の意思に反したとしても訪問の必然性があれば，保健師による訪問は可能であるととらえられる。ただし，意思に反した訪問は必ずしもその後の支援が円滑にいくとは限らず，住民とのその後の関係性の構築に影響するため，法的に規定されているとしても，慎重に進める必要がある。

3．専門職としての保健師の役割

1．看護師資格がベース

　保健師は看護をベースとして，公衆衛生看護活動を展開する。活動の基盤はヘルスプロモーションの理念であり，地域を継続的・総合的に把握し支援していく。医療に関する知識・技術を有しているため，健康の維持・増進活動のみならず，在宅で療養する人々への助言や支援も可能である。また，保健師養成

カリキュラムでは，保健・医療のみならず，社会福祉や行政に関する知識，疫学や保健統計の習得が求められている。社会福祉士や介護福祉士には及ばないが，福祉に関する知識も一定程度有している。健康上のトラブルを抱える人の中には，経済的な支援が必要であったり，状況改善のために公的なサービスの利用が望ましい人もいる。健康を切り口にして，福祉サービスにつなげることも往々にしてあり，なかなか扉を開けてくれなかった住民が，保健師の「血圧を測ってみましょう」の一言で開けてくれた，ということもあり，医療処置に関する技術を持つ強みであるといえ，福祉事務所職員との同行訪問などは保健師にとっても有意義なものである。このほか，多職種との連携に関しても，福祉専門職に関する知識や，福祉職とかかわり協働した体験を持つ保健師は，多職種の役割や機能を理解して連携チームの目標達成に向けて，そのメンバーとしての役割を発揮できるといえる。

２．住民との関係

　住民との関係においては，年単位で地区にかかわることにより，住民や住民組織との関係が深まっていき，住民とともに，あるいは住民が主体となった健康増進活動の展開につながることも多い。地域の状況を把握していることから，誰にアプローチすれば良いのかなど，人的な社会資源を活用するのみならず，開発することもある。

　保健師の活動は「みる・つなぐ・うごかす」であるとされる。地域を鳥の目で俯瞰的に見，虫の目で各家庭や個人を見，魚の目で継続的に見る，見て把握された健康課題をつなげて考えたり，健康ニーズの充足に向けて専門職や住民同士をつなげたりする活動を進め，そしてつながった人々を，グループ化や組織化された活動として動かすことで，人々の様々な健康指標の改善や健康寿命の延伸，自立促進，生活の向上を実現させていく。これが保健師の仕事といえよう。

4．保健師活動をめぐる課題

1．医療の高度化や疾病構造の変化

　生活環境の整備が進むとともに，医療の高度化や疾病構造の変化による医療費や，高齢化の急速な進展に伴う社会保障費の増大などから，保健師による疾病予防・健康増進活動への期待が高まっている。

　人々が健康に過ごしていく上では、健康被害を引き起こさない環境であること、個人や集団が健康なからだづくりに取り組むことなどのほかに、必要なときに医療サービスを受けられることも欠かせない。地域の実情に合わせた医療提供体制の構築を推進するために、各都道府県では「医療計画」を策定している。現在、この計画の中にはがん、脳卒中をはじめとする五つの疾患と、救急医療や災害時における医療等の五つの事業および在宅医療それぞれの医療連携体制を盛り込むことになっている。医療の充実とともに、疾病対策においては、そもそも罹患しない・重症化しないための「予防」に向けた取り組みが必要である。

　このほかにも少子化による子どもの発達への影響や，社会構造の変化によるメンタルヘルスの対応，そして昨今の未知の感染症による健康被害など，健康を巡る問題が多様化している。

　予防とともに、治療をしながら、また後遺症や障がいがある，地域で生活する人々を支えるのも看護職の役割の一つである。地域の社会資源を活用しながら、必要であれば事業化・施策化して地域に新たな資源を生み出し、住民の生活を支える保健師への期待は大きい。これまで保健分野での活動が主であった保健師も，介護保険など福祉分野での活動が期待され，近年では虐待防止も視野に入れた妊娠期からの切れ目ない支援の必要性など，社会の要請に応じて多様な健康問題への対処が必要となっている。

　たとえば地域で生活する高齢者の権利擁護は、地域包括支援センターの社会福祉士を中心に活動を進めており、保健師が中心になることはないが、権利が侵害されている状況にないか、健康の側面から確認し、適切な支援をつなげて

いく。定期的に必要な健診や治療を受けられているかどうか、身体的トラブル
が放置されていないか、など、保健師はこれらを確認できる立場にある。虐待
が疑われる事例には家庭訪問を行ったり、介護者の集いへの参加を勧めて様子
をうかがったり、状況を確認することができるのも保健師である。さらに定期
的に家庭訪問している家庭で、消費者被害に遭っていることを発見することも
ある。

　終焉を迎えたと思われた感染症の時代が，新型コロナによって，保健所保健
師をはじめとする保健師は感染症対策に相当な力を注いでいるし，また自然災
害の被害拡大を受けて避難所の開設や復旧中の健康被害への対応など市町村に
課せられる役割も増えて，これまではあまり光の当たらなかった保健師がメデ
ィアに登場することも多くなった。複雑化・高度化し，また格差が拡大する社
会情勢や社会背景を踏まえた疾病対策や健康増進活動を展開していくには，保
健師は常に自己研鑽を怠らず，多様な住民ニーズに応えるための情報収集・分
析力の強化や，連携能力の開発が求められている。

2．人材育成

　保健師の活動分野の拡大や業務分担が進んだことにより，これまで培ってき
た分野横断的な地区把握や総合的観点からの事業展開の機能が低下しているの
ではないかとの指摘もある。

　保健師教育機関のみならず現任教育を含む人材育成，行政における保健師活
動の体制づくり，人材配置などの充実や見直しがもとめられている[2]。

（東邦大学教授）

2）地域における保健師の保健活動に関する検討会：平成24年度地域保健総合推進事業「地域におけ
　る保健師の保健活動に関する検討会報告書」，平成25年3月，p.5
　http://www.jpha.or.jp/sub/pdf/menu04_2_h24_02.pdf.

第13章　高齢社会を取り巻く共生社会

大塚　薫

1．地域共生社会の実現に向けて

　地域共生社会とは，制度・分野ごとの「縦割り」や，「支える側」「支えられる側」という従来の関係を超えて，人々が住む慣れた地域で自分らしく活躍できるよう，地域のあらゆる住民が役割をもち，支え合いながら，地域をともに創っていくという考え方である。近年の社会福祉政策は地域共生社会の実現を目指し，その環境整備を進める方向で動いている。

　本章では，地域共生社会の実現を目指す背景と政策の流れを概観し，その推進について考える。

2．背景

1．高齢化の進展

　日本の高齢化率は，総務省の「人口推計」によると2019（令和元）年10月1日現在28.4％で，世界で最も人口の高齢化が進んだ国であり，今後も高齢化は進行していくと推計されている。

　国立社会保障・人口問題研究所「日本の将来推計人口（平成29年推計）」によると，日本の総人口は長期の減少過程に入っており，2065（令和47）年には約8,808万人まで減少する。いっぽう65歳以上人口は増加傾向が続き，2042（令和24）年にピークを迎えた後減少に転じるが，2065（令和47）年には約3,381万人，高齢化率は38.4％に達すると推計されている。それに対して，現役世代で

ある「15歳～64歳人口」は急速な減少傾向が続き，2065（令和47）年には4,529万人，総人口に占める割合も51.4％にまで低下すると推計されている。

　加齢とともに健康に問題を抱える人が増加することから，65歳以上人口の増加は医療・介護・福祉サービス等の需要を増大させるため，サービスを安定的に提供できる体制の整備が必要となる。現役世代人口が急激に減少していくなかで，増大する需要に対応するためのマンパワーの確保とともに，医療・介護・福祉現場における生産性の向上を図ることは喫緊の課題といえる。

　また，厚生労働省「2019年国民生活基礎調査」によれば2019（令和元）年現在，65歳以上の者がいる世帯の構造は，「夫婦のみの世帯」と「単独世帯」が約6割を占めている。夫婦どちらかの死亡により単独世帯へと移行していくことも多く，単独世帯の地域生活を支えていくための支援の確保が求められる。

２．「縦割り」の限界と「つながり」の再構築

　生活していく上での困りごとは単純ではない。例えば，介護施設への親の入所により同居しているひきこもりの子が生活困窮に陥ってしまう事例，障害のある子を介護している親自身が要介護状態になっている事例，子育て中のひとり親が療養のため入院が必要になっている事例など，本人，あるいは世帯の中で，いろいろな課題が重なり合っている。さらに，就労や住まいなど福祉領域にとどまらないニーズを含むなど課題は複合化・複雑化している。このような事例に対して，従来の，高齢者や障害者など対象者別に支援を行う縦割りの体制や，個々の制度やサービスに人をあてはめる仕組みでは，その人や世帯の困りごとは解決できない。支援が必要な人を中心に置いて，所属する世帯や環境まで含めて困りごとを包括的に受け止め，必要な支援を包括的にコーディネートする仕組みづくりが必要となっているのである。

　少子高齢化や世帯の縮小，都市化の進行等により，家族や地域における支え合い機能が縮小しているなかで，かつては家族や親せき，隣近所や知人などによって支えられていたような生活の困りごとも，今は一人で抱え込み，誰にも相談できずに深刻な事態に至ってしまう人や世帯があることも事実である。従来の支える人と，支えられる人というような固定的な役割分担ではなく，地域

の中で支えたり，支えられたりという，支え合いが必要となってきている。

　つまり，人々が住み慣れた地域で暮らしていけるよう，制度や分野ごとの「縦割り」や，「支え手」「受け手」という関係を超えて，地域住民等が支え合い，地域を共に創っていくことのできる，地域共生社会の実現を目指して取組んでいくことが必要となっているのである。

3．地域共生社会の実現に向けた地域づくりに関する取組

　人を中心に置いて地域における包括的な支援を行う仕組みづくりは，高齢者分野で先行して取り組まれており，住まい・医療・介護・予防・生活支援，これらを一体的に提供する「地域包括ケアシステム」の構築に向けた取組が行われている。こうした包括的な支援の考え方を，高齢など対象者の「属性」ではなく，生活に困窮しているという「状態」を捉えて，その人・その世帯の困りごとを包括的に受け止め，生活全般にわたる支援の提供を理念とする「生活困窮者自立支援制度」が，2015（平成27）年4月から施行されている。そして，包括的支援の対象者を，全ての人に広げていくという方向性が示されたのが，2015（平成27）年9月に厚生労働省の関係局長で構成するプロジェクトチームが公表した「新たな時代に対応した福祉の提供ビジョン」である。

　ここでは，このビジョン以降の地域共生社会の実現に向けた国の主な取組の概要をみていく。

1．「新たな時代に対応した福祉の提供ビジョン」の公表

　「新たな時代に対応した福祉の提供ビジョン」では，福祉ニーズの多様化・複雑化と，高齢化の中で人口減少が進行している状況に対応していかなければならないという問題認識のもと，福祉サービス提供のあり方が検討された。

　報告書では，① 分野を問わない包括的な相談支援の実施，② 地域の実情に見合った総合的なサービス提供体制の確立，③ 効果的・効率的なサービス提供のための生産性向上，④ 新しい地域包括支援体制を担う人材の育成・確保，という4つの改革の方向性が掲げられ，省内外において横断的な推進体制を構

築するなど，総合的に施策を推進するとしている。

2.「ニッポン一億総活躍プラン」の閣議決定

　2016（平成28）年６月に閣議決定された「ニッポン一億総活躍プラン」は，少子高齢化に歯止めをかけ，50年後も人口１億人を維持するとともに，家庭で・職場で・地域で・あらゆる場で，誰もが活躍できる，いわば全員参加型の社会である一億総活躍社会の実現に向けて必要な取組を提示した。その取組方向の１つに地域共生社会の実現，すなわち，すべての人々が，地域，暮らし，生きがいを共に創り，高め合うことができる地域社会の実現を目指すとしている。

　そのために，住民による地域課題の解決力強化を支援していくという施策の方向性が示された。すなわち，① 地域のあらゆる住民が役割をもち，支え合いながら自分らしく活躍できる地域コミュニティを育成すること，② 住民が地域の公的サービスと協働して助け合いながら暮らすことのできる仕組みを構築するとして，行政は地域住民の主体的な活動を支援する。

3.「地域共生社会」の実現に向けて（当面の改革工程）の決定

　「ニッポン一億総活躍プラン」を受けて厚生労働省は施策の具体策を検討するため，厚生労働大臣を本部長に，11局長等を本部員とする「我が事・丸ごと」地域共生社会実現本部を設置し，2017（平成29）年２月に検討結果をとりまとめ，「『地域共生社会』の実現に向けて（当面の改革工程）」が決定された。

　住民による地域課題の解決力の強化を支援していくため，「住民が，主体的に地域課題を把握し解決を試みる体制を構築」していくと同時に，「住民に身近な圏域において，地域住民が抱える課題について，分野を超え『丸ごと』の相談を受け止める場を設けていく」こと，「明らかになった課題について，多機関が連携し，市町村等の広域で解決を図る体制を確保」するという方向性が示された。

4．社会福祉法の改正（2018年４月施行）

　地域共生社会の実現に向けて改革の柱として挙げられた，住民による地域課題の解決力の強化を支援していくため社会福祉法が改正され，2018（平成30）年４月から施行された。改正の主な内容は次のとおりである。

○　住民等による地域生活課題の解決に資するよう，包括的な支援体制づくりを市町村の努力義務とした（106条の３）。

○　地域福祉計画について福祉の各分野における共通事項を定める上位計画として位置づけ，その策定を市町村の努力義務とした（107条）。都道府県が策定する地域福祉支援計画についても同様（108条）。

5．地域共生社会に向けた包括的支援と多様な参加・協働の推進に関する検討会の最終とりまとめ

　2018（平成30）年施行の改正社会福祉法附則では，市町村による包括的な支援体制を全国的に整備するための方策について検討し，その結果に基づいて所要の措置を講ずる旨が規定された。

　これを受けて厚生労働省は2019（令和元）年５月，有識者による「地域共生社会に向けた包括的支援と多様な参加・協働の推進に関する検討会」を設置し，同年12月に検討結果が取りまとめられた。示された施策の方向性は次のとおりである。

○　地域住民の複合化・複雑化した支援ニーズに対応する，市町村における包括的な支援体制の構築を推進するため，次の３つの支援を内容とする新たな事業を創設すべき。

　　①　断らない相談支援…本人・世帯の属性にかかわらず受けとめる相談支援

　　②　参加支援…本人・世帯の状態に合わせ，地域資源を活かしながら，就労支援，居住支援などを提供することで社会とのつながりを回復する支援

　　③　地域づくりに向けた支援…地域社会からの孤立を防ぐとともに，地域における多世代の交流や多様な活躍の機会と役割を生み出す支援

6．社会福祉法の改正（2021年4月施行）

　地域共生社会の実現を図るため，地域住民の複雑化・複合化した支援ニーズに対応する市町村の包括的な支援体制の構築を支援するよう社会福祉法が改正され，2021（令和3）年4月から施行される。改正の主な内容は次のとおりである。

○　重層的支援体制整備事業（106条の4）と交付金（106条の8）の創設
市町村において，既存の相談支援等の取組を活かしつつ，包括的な支援体制を構築するため，①相談支援，②参加支援，③地域づくりに向けた支援を一体的に実施する事業（重層的支援体制整備事業）を創設。

　事業実施は市町村の手上げに基づく任意とされ，事業を実施する市町村に対して，各分野ごとに行われていた相談・地域づくり関連事業と一体的に執行できるよう，重層的支援体制交付金を交付する。

4．市町村による包括的な支援体制の整備について

　前述のとおり，地域共生社会の実現を目指し，住民による地域生活課題の解決力の強化を支援するため，市町村は責任をもって包括的な支援体制の整備を進めていくこととされた。さらに包括的な支援体制の整備を進めるため，新たな事業及びその財政支援等が社会福祉法に位置付けられた。

　地域共生社会の実現に向けて，市町村による包括的な支援体制の整備が重要であるとされるが，その輪郭は見えにくい。包括的な支援体制とはどのようなものか，どのような機能が必要とされているのか。

　「地域力強化検討会最終とりまとめ」（以下「最終とりまとめ」という。）及び「社会福祉法に基づく市町村における包括的な支援体制の整備に関する指針」（以下「指針」という。）から確認する。また，包括的な支援体制の構築に取組んでいる事例を通して，その推進について考える。

1．包括的な支援体制とは
　最終とりまとめでは，「包括的な支援体制」について，「分野別，年齢別に縦

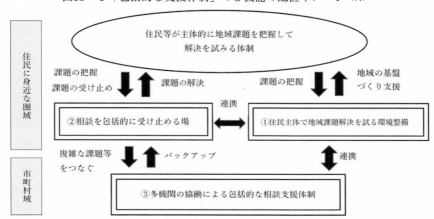

図13−1 「包括的な支援体制」の3機能の配置イメージ（例）

住民等が主体的に地域課題を把握して
解決を試みる体制

住民に身近な圏域

課題の把握
課題の受け止め　　　課題の解決　　　　　課題の把握　　地域の基盤
づくり支援

連携

②相談を包括的に受け止める場　　　①住民主体で地域課題解決を試る環境整備

複雑な課題等
をつなぐ　　　　バックアップ　　　　　　　　　　　　連携

市町村域

③多機関の協働による包括的な相談支援体制

資料）「社会福祉法に基づく市町村における包括的な支援体制の整備に関する指針」（厚生労働省2017：1−3）を基
　　　に筆者作成。

割りだった支援を，当事者中心の『丸ごと』の支援とし，個人やその世帯の地域生活課題を把握し，解決していくことができる包括的な支援体制をつくる。そのために専門職による多職種連携や地域住民等と協働する地域連携が必要である」としている。

　社会福祉法では，市町村が次のような体制等を整備する施策の実施等を通じ，「包括的な支援体制」づくりに努める旨が規定されている。

　① 地域住民等が主体的に地域生活課題を把握し解決を試みることができる
　　環境

　② 地域生活課題に関する相談を包括的に受け止める体制

　③ 多機関の協働による包括的な相談支援体制

　上記のうち，①及び②については，「住民に身近な圏域」において，「住民が主体的に地域課題を把握して解決を試みる体制づくりを支援する」目的で整備され，③については，主に市町村域において，「複合的で複雑な地域生活課題等の解決」を目的に整備される。そして，上記の体制等の整備を，「面」としてそれぞれを連携させて実施していくことが必要であるとしている。これら3つの機能の配置と関わりのイメージ（例）を示した（図13−1）。

なお，「住民に身近な圏域」とは，「地域の実情に応じて異なると考えられ，地域で協議して決めていく過程が必要である」としている。

2．取組事例〜地域包括支援センターを基盤とした包括的な支援体制（千葉県鴨川市）

　高齢者等の総合相談支援機関である地域包括支援センターを基盤として，包括的な支援体制づくりに取組んでいる千葉県鴨川市の事例を紹介する。

　千葉県鴨川市では，2012（平成24）年4月に市直営の地域包括支援センターを機能拡充し，高齢者だけではなく，児童，障害者など，対象者を問わず生活の中の困りごとへの相談対応を行うとともに，地域住民の支えあい活動をコーディネートする地域支援も行う，福祉総合相談センターを設置した。また2015（平成27）年度からは生活困窮者の自立相談支援機関という機能も加え，福祉総合相談センターは鴨川市が推進する包括的な支援体制構築の要となっている。なお，社会福祉法人等への委託によりサブセンターが3か所設置され，市が設定している4つの日常生活圏域全てに，包括的な総合相談の機能が整備されている。

1）福祉総合相談センターの機能

　福祉総合相談センターには，「総合相談支援機能」「地域支援（コーディネート）機能」，「人材育成機能」の3つの機能が置かれている（図13-2）。

　「総合相談支援機能」は，対象者を問わず生活の中の困りごとを包括的に受け止め，課題を整理し必要なサービスへつなぐ機能である。具体的には，主訴が明確でない相談，複合化・複雑化した問題を抱えた相談，多機関との連携が必要な相談などを受け止め，課題を整理して解決案・方向性を見出し，必要なサービス等につないでいく『個別相談支援』とともに，適切な保健福祉サービス提供のための『横断的な総合調整』，地域における円滑で切れ目のない支援体制を構築するための『保健福祉の専門機関や関係機関のネットワーク構築』，の役割を行う。

　「地域支援（コーディネート）機能」は，住民主体の支え合いのある地域づくりをコーディネーターとして支援する機能である。具体的には，住民自身が

地域を知り・地域の問題に気づき，解決に向けて住民同士が一緒に考える実践の企画や，地域住民を対象に生活支援や見守りなどを行うサポーターの活動支援，サポーターと民生委員やボランティア等の地域のネットワーク構築を支援するものである。

　「人材育成機能」は，地域活動の核となるサポーターの養成，子ども・障害者・高齢者など分野横断的な連携のための専門職等に対する研修の実施などである。

2）福祉総合相談センターの特徴

　福祉総合相談センターの組織の特徴として，地域包括支援センターを機能拡充した市の行政組織機関であること，職員は正職員9名・非常勤職員4名（2018年4月1日現在），正職員は市職員であること，非常勤職員の割合が比較的高いことが挙げられる。また市基本計画等にも事業の実施が明記されており事業の継続性が担保されていること，予算は，介護保険の財源や生活困窮者自立支援法に基づく必須事業である自立相談支援事業に対する国負担金も活用す

図13-2　福祉総合相談センターの機能と構造のイメージ

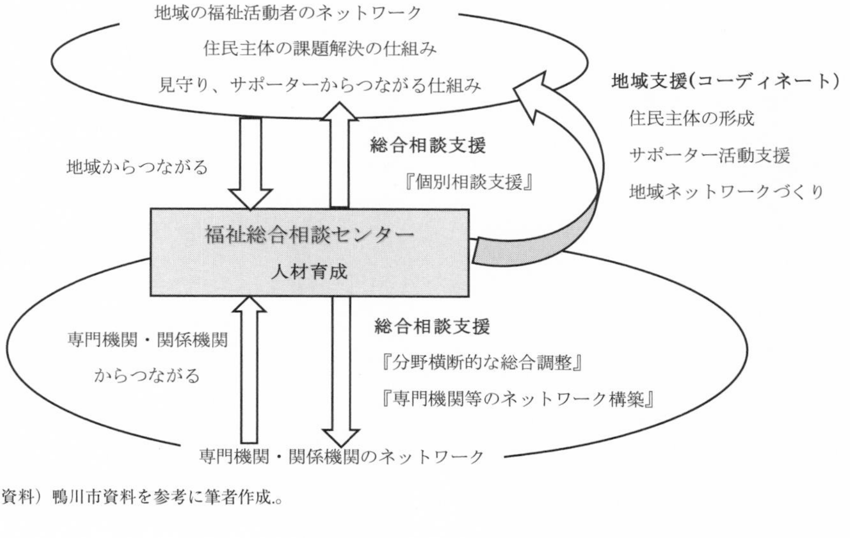

資料）鴨川市資料を参考に筆者作成。。

ることで，安定した財源を確保していることも特徴である。

　さらに福祉総合相談センターが設置されている鴨川市総合福祉会館は，１階に市行政の健康福祉３課が，２階には市社協の事務所があり，関係部署，関係機関が情報共有や連携しやすい環境となっている。

　相談支援の特徴として，福祉総合相談センターに支援の必要な人の相談がつながるよう，①地域住民から，②医療・福祉・介護等の専門職から，③市庁内からと，重層的な仕組みをつくっている。そして，その仕組みが機能するよう，地区担当制やできる限り地域へのアウトリーチ等を行い，時間をかけ工夫を重ねて，顔の見える関係づくりや信頼関係づくりを行っていることが挙げられる（図13－２）。

３）推進にあたっての課題

　前述のとおり，福祉総合相談センターは，支援の必要な人（世帯）とつながっている人・機関とつながることにより，支援の必要な人を早期に把握し対応している。そのなかで，誰にもつながっていない人，地域から孤立している人（世帯）への対応が課題とされている。地域から孤立している人（世帯）については情報がつながりにくく，つながった場合でも本人や世帯の状況に関する情報収集が難しいことや，見守りなど一緒に関わってくれる地域住民を確保することが難しい場合も多い。

　支援を必要としている人（世帯）に気づき，見守りや相談に対応する地域住民の存在が不可欠であり，住民主体の支え合いのある地域づくりへの支援の充実が必要とされている。

　　5．まとめ

　本章では，地域共生社会を目指す背景と政策の流れをみてきた。人口減少のなかで高齢化が進展していく社会において，縦割りのサービス提供体制の限界や，家庭や地域の支え合う力の脆弱化を背景に，地域共生社会の実現に向けて施策を展開していく必要性は多くの人が認めるところだろう。

施策の方向は，住民が主体となって地域生活課題を把握し，支援機関と連携して解決に取組み，ともに地域をつくっていくことを目指し，行政は住民による地域課題の解決力強化を支援していくとしている。ここには，地域住民の主体的な活動を見すえた行政による支援という，住民と行政との新たな関係性をみて取ることができるとの指摘がある（菊池2019）。

　しかし，支え合う力の脆弱化した地域において住民主体の基盤づくりは容易なことではない。まずは，住民主体の形成への支援に取組むことが効果的であると考える。すなわち，住民自身が地域を知り，地域の問題に気づき，解決に向けて住民同士が一緒に考えるというプロセスへの支援を，時間をかけ継続的に取組んでいくことが求められる。地域住民に対する研修や交流拠点の整備等は重要な支援だが，地域に意識を向ける住民の存在がなければ効果を発揮しづらいのではないだろうか。

　地域共生社会の実現に向けて，包括的な支援体制の整備に取組む市町村においては，住民主体の形成への支援に，時間をかけ継続的に，そして多彩な仕掛けにより取組んでいくことが求められると考える。

（元千葉県庁職員）

参考文献

　１）牛村隆一「住民参加の地域づくりを通じた困りごとをワンストップで受け止める総合相談」『ふれあいのケア』(11)，2014，30-33.
　２）大橋謙策「鴨川市社会福祉協議会へのコメント」大橋謙策・白澤政和編『地域包括ケアの実践と展望』中央法規，2014，191-193.
　３）鴨川市「鴨川市健康福祉推進計画」，2011.
　４）鴨川市「第２次鴨川市総合計画・第２次鴨川市基本構想・鴨川市第３次５か年計画」，2016.
　５）鴨川市「第２期鴨川市健康福祉推進計画」，2016.
　６）菊池馨実『社会保障再考〈地域〉で支える』，2019，岩波書店.
　７）厚生労働省「新たな時代に対応した福祉の提供ビジョン」，2015.

https://www.mhlw.go.jp/stf/shingi 2 /0000098006.html　（2020.9.30）.

8 ）厚生労働省・「我が事・丸ごと」地域共生社会実現本部「『地域共生社会』の実現に向けて（当面の改革工程）」，2017.

　　https://www.mhlw.go.jp/stf/houdou/0000150538.html　（2020.9.30）.

9 ）厚生労働省・地域力強化検討会「地域力強化検討会最終とりまとめ」，2017.

　　https://www.mhlw.go.jp/stf/shingi 2 /0000176885.html　（2020.9.30）.

10）厚生労働省「社会福祉法に基づく市町村における包括的な支援体制の整備に関する指針」，2017.

　　https://www.mhlw.go.jp/web/t_doc?dataId=00010690&dataType= 0 &pageNo= 1 　（2020.9.30）.

11）厚生労働省・地域共生社会推進検討会「地域共生社会推進検討会最終とりまとめ」，2019.

　　https://www.mhlw.go.jp/stf/shingi 2 /0000213332_00020.html　（2020.9.30）.

12）厚生労働省「令和 2 年度地域共生社会の実現に向けた市町村における包括的な支援体制の整備に関する全国担当者会議資料」，2020.

　　https://www.mhlw.go.jp/stf/shingi 2 /0000114092_00001.html　（2020.9.30）.

13）厚生労働統計協会『国民の福祉と介護の動向2020/2021』，2020.

14）内閣「ニッポン一億総活躍プラン」平成28年 6 月 2 日閣議決定，2016.

　　http://www.kantei.go.jp/jp/singi/ichiokusoukatsuyaku/pdf/plan1.pdf（2020.9.30）.

15）内閣府『高齢社会白書（令和元年版）』日経印刷，2019.

第14章　病弱児（者）の進学と福祉

高 橋 千 聖

1．病弱児における社会的バリア（障壁）

1．医療の進歩

　近年，医療の進歩に伴い，病気の治療や病状の改善により，その後の生活を長く送ることができる人が増えている。そのことから，医療的ケアを必要とする人々の社会参加が注目されている。これは，子どもから大人と，幅広い年代に関係することであると考える。

　筆者は，病気の子ども達が特別支援学校を卒業し，社会に参加していく過程の中でも，特に特別支援学校から進学していく生徒に注目している。特別支援学校に通っている子ども達は，長い期間，特別支援教育という形で支援を受けてきた。しかし，その支援は卒業と同時になくなり，それまで得られていた支援は受けられなくなる。生徒の立場からすれば，突然社会に放り出されたような形になる。

　これらの課題を解消することで，病気であっても子ども達が安心して社会に参加していけるよう，長期的な支援が必要であると考える。

2．「進学」における障害児（者）と病弱児（者）の差

　障害児と比べると，病弱児は学校側の受け入れが難しいと考える。例えば，肢体不自由や聴覚障害者の場合，バリアフリーに対応した設備環境やノートテイクのボランティアといったように支援方法の提示がしやすい。また，障害児はある程度，病状が安定しているため，受け入れる学校もマニュアル通りの対

応ができ，生徒の受け入れがしやすい。

　病弱の場合，明確な支援方法がまだ確立されていないため，その都度一人ひとりに病状や支援方法の調査が必要になる。また，病状が不安定なケースが多いため，支援に不安が残る。

　例えば，体力的に長時間，同じ姿勢でいることが難しい学生には，足を延ばせる姿勢や横になったまま授業を受けられるようにベッドを用意する必要がある。こまめな休憩を必要とする学生には，健康管理室（保健室）のベッドを使用できるよう準備が必要である。

　また，病弱児を受け入れる大学や専門学校にも生徒の病状や支援の方法を理解してもらわなければならないため，受験の段階で難しいと断られ，希望する学校を受験することすらできない場合もある。

2．特別支援学校の歴史的変遷

1．京都盲唖院から

　京都盲唖院（きょうともうあいん　以下，盲唖院）は，1878（明治11）年に京都の「中心地」にあった盲と聾の子どもたちが通う学校である。学校だけでなく，宿舎も併設されており，"生活"の場として，目の見えない人と耳の聞こえない人が共に学びながら生活をしていた場所でもある。

　盲唖院は京都の人々の援助を受けながら，近代的教育を行なっていたと言える。また，福田ヨシ，伊集院キクなどは退職後に故郷で教育を行なっており，盲唖院は日本における盲・聾教育の萌芽になった学校でもあるといえよう[1]。

　また，1941（昭和16）年には国民学校令が施行され，身体虚弱・知的障害児の学校・学級の編成がされる。1947（昭和22）年，教育基本法・学校教育法の公布がなされ，盲・聾・養護学校への就学が義務化されるに至った。

1）『訪問介護と介護』Vol.17No.8「巻頭インタビュー　ケアする人々・12　木下知威さんに聞く，新たなケアは「違い」の認識から，さまざまな違いが共にあった京都盲唖院を追って　編集室」

2．1953年文部省基準

　1953（昭和28）年に文部科学省から通達された「教育上特別な取り扱いを要する児童・生徒の判別基準」については以下のように説明されている。

　1952（昭和27）年には，初等中等教育局に設置された特殊教育室が当面した課題は，第一に義務化された盲・聾児の就学率の低調と，第二に精神薄弱，肢体不自由，病弱・虚弱児等に対する特殊教育の立ち遅れの打開であった。

　盲学校や聾学校への就学は，一般の小学校や中学校の場合に比べ，保護者の経済的負担が大きく，これが就学率の低調の原因になっていたことから，1954（昭和29）年に，「盲学校，聾学校及び養護学校への就学奨励に関する法律」を制定して，就学奨励・援助の方策を強化した。

3．1979年には養護学校が義務化

　1979（昭和54）年，正式に養護学校の義務化がなされ病弱児も学校教育の対象となる。2001（平成13）年，「特別支援教育」という呼称が採用され，2006（平成18）年には学校教育法の一部が改正される。こうして2007（平成19）年に正式に「特別支援教育」を実施し，盲・聾・養護学校を「特別支援学校」に一本化することとなったのである。

4．特別支援学校の現状

　現在，特別支援学校ではインクルーシブ教育システムが取り入れられている。インクルーシブ教育システム構築支援データベースではインクルーシブ教育システムについて次のように説明している。

　「インクルーシブ教育システム（inclusive education system）とは，人間の多様性の尊重等を強化し，障害者が精神的及び身体的な能力等を可能な最大限度まで発達させ，自由な社会に効果的に参加することを可能にするという目的の下，障害のある者と障害のない者が共に学ぶ仕組みです。そこでは，障害のある者が一般的な教育制度（general education system）から排除されないこと，自己の生活する地域において初等中等教育の機会が与えられること，個人に必要な「合理的配慮」（reasonable accommodation）が提供されること等が

必要とされています」²⁾。

３．文部科学省の定義

　「病弱」の定義については，文部科学省が提示する定義を使用する。文部科学省は，「病弱とは，慢性疾患等のため継続して医療や生活規制を必要とする状態，身体虚弱とは，病気にかかりやすいため継続して生活規制を必要とする状態をいいます。」³⁾ とする。

　病弱教育とは特別支援教育の１つであり，知的障害教育，肢体不自由教育などと同様に病気の子どもたちに対して適切な教育や必要な配慮を行いながら教育を行うことをいう。

　病弱特別支援学校の教育課程においては在籍する子どもに大きな身体的負担や精神的負担がかからないような教育計画を組み，一人ひとりの子どもの病状に応じた教育課程が編成される。文部科学省では，病弱特別支援学校について次のように説明している。

　「病気等により，継続して医療や生活上の管理が必要な子どもに対して，必要な配慮を行いながら教育を行っています。特に病院に入院したり，退院後も様々な理由により小中学校等に通学することが難しい場合は，学習が遅れることのない様に，病院に併設した特別支援学校やその分校，又は病院内にある学級に通学して学習しています。授業では，小・中学校等とほぼ同じ教科学習を行い，必要に応じて入院前の学校の教科書を使用して指導しています。自立活動の時間では，身体面の健康維持とともに，病気に対する不安感や自信の喪失などに対するメンタル面の健康維持のための学習を行っています。治療等で学習空白のある場合は，グループ学習や個別指導による授業を行います。病気との関係で長時間の学習が困難な子どもについては，学習時間を短くするなどし

2）インクルDB（インクルーシブ教育システム構築支援データベース）
　　http://inclusive.nise.go.jp/（最終アクセス2020年10月31日）
3）文部科学省「特別支援教育について（５）病弱・身体虚弱教育」
　　https://www.mext.go.jp/a_menu/shotou/tokubetu/004/005.htm（最終アクセス2020年10月31日）

て柔軟に学習できるように配慮しています。退院後も健康を維持・管理したり，運動制限等のために，特別支援学校の寄宿舎から通学又は自宅から通学し学習をする子どももいます。通学が困難な子どもに対しては，必要に応じて病院や自宅等へ訪問して指導を行っています」[4]。

　さらに，学校教育法施行令22条の3には病弱児（者）の障害の程度について次のように記されている。なお，病弱特別支援学校に通う生徒は，小児慢性特定疾病として認定されている疾患を持つ者が多い。

表14-1　学校教育法施行令22条3項

一．慢性の呼吸器疾患，腎臓疾患及び神経疾患，悪性新生物その他の疾患の状態が継続して医療又は生活規制を必要とする程度のもの。 二．身体虚弱の状態が継続して生活規制を必要とする程度のもの。

4．高校卒業後の病弱児（者）の課題

　特別支援学校の高等部を卒業した病弱児（者）の進路は，進学，就職，施設入所，自宅待機の4つに大きく分けられると考える。ここでの自宅待機とは，進学や就職をせず，自宅で過ごすことを指す。

　多くの場合，進路選択の初期の段階では生徒や保護者は4年生大学への進学を希望するが，病状や学力，体力的な問題から専門学校や職業訓練校への進路に考え直すことになったり，卒業までに進路が決まらずそのまま自宅待機になってしまうこともある。

　自宅待機になってしまう主な理由として，病弱特別支援学校では知的障害や視覚障害，聴覚障害，肢体不自由の特別支援学校と違い教育カリキュラムのなかに職業訓練が含まれていないこと，障害者手帳を取得している生徒が少ないことがあげられる。

　そもそも病弱特別支援学校は普通の高等学校のように各教科による授業が行

4）文部科学省「特別支援教育について（5）病弱・身体虚弱教育」
　　https://www.mext.go.jp/a_menu/shotou/tokubetu/004/005.htm（最終アクセス2020年10月31日）

われている。そのため，職業訓練に特化した授業は編成されておらず，高等学校の普通科とほぼ同じ教育カリキュラムとなっている。

　また，病気だからといって必ずしも障害者手帳の交付対象になっているとは限らないため，病弱特別支援学校において障害者手帳を取得している生徒は思いのほか少ない。

　職業訓練がないことや障害者手帳を持っていないこと，病気の状況により，教員から就職を進められることも少ないのである。病弱特別支援学校から一般企業へ就職するにあたり，障害者手帳を取得していないと障害者枠での就職ができないため，病状に配慮してもらえる企業への就職は大変難しくなる。そのため，高等部卒業後すぐの就職は困難である場合が多い。

5．「福祉」を病弱児の進学率から探る意義

1．自己実現という福祉

　病弱児にとっての福祉ニーズの一つとして，彼（女）らの「自己実現」にあると仮説を立てることができる。一般的に「自己実現」とは，自己のもつ能力や機能を用いて自らの生き方や生活課題に対する価値を追求し，または実現しようとする事である[5]。

　いわば自分らしさを自覚しながら，社会参加できる「場」が保障されていることと考える。既述のように，病弱児における高校生は，数年後，特別支援学校を卒業するという現実が迫り，「進路」「進学」によって自己実現できる「場」が保障されることが，重要な福祉ニーズではないかと推察される。

2．社会環境と福祉

　相談援助（ソーシャルワーク）では，「人と環境の相互作用」と言われるように，つまり「Ⅳ（集団的責任）ソーシャルワーカーは，集団の有する力と責任を認識し，人と環境の双方に働きかけて，互恵的な社会の実現に貢献する」[6]

5）『ブリタニカ国際大百科事典 小項目 プラス世界各国要覧 2017』
6）日本ソーシャルワーカー連盟代表者会議『ソーシャルワーカーの倫理綱領』2020年6月2日

という視点から，社会環境の充実が，進学率向上につながる一つの要因と考える。

　教育学における「進学」と「福祉」の視点を関連付けて述べるとすれば，進学の環境が整うことで，病弱児の自己実現の場も設けられることになる。その意味では，「福祉」という概念とその環境を整えていくことであると解釈するならば，病弱児の進学率向上に関して，どのような「福祉」が求められるか，という論点が導き出せるであろう。

（淑徳大学大学院生）

終章　増大する医療費をどうするか

結城康博

1．毎年1兆円増え続ける

　2017年度の国民医療費は約43兆円，近年ではほぼ毎年一兆円ずつ医療費は増え続けている。しかも，1人当たりの年間の国民医療費は約34万円だ（表：終－1）。

　そもそも，日本の平均寿命や乳幼児死亡率から見る限り，日本の医療水準は世界トップクラスであり，コストパフォーマンスとしては必ずしも悲観的に捉える必要はない。むしろ，世界トップクラスの医療水準を堅持するために高騰する医療費を，どのように負担していくべきかの議論が先行されるべきである。この現状を国民全体が，どう受け止めていく必要がある。安易に医療給付費の抑制の議論が先行しては，結果的に医療水準の低下を招きかねないだろう。

　そもそも，医療サービスという「財」は，特別なものと捉えている国民が多いはずである。医療費の高騰については問題意識を抱きつつも，「命に関わることなので経済的問題を度外視してもサービス給付を優先的に考えるべき」「夜中に具合が悪くなり，もしかしたらという気持ちで夜間の救急病院へ行く」といったように，効率性・採算性について必ずしも杓子定規に考えることはできないと，国民一人ひとりが頭の片隅に思い描いているのではないだろうか。

2．病院で亡くなる

　現在（2021年），日本での死亡場所の約8割が病院で，在宅死は約1～2割

表：終-1　年間の国民医療費と1人当たりの国民医療費の推移

	国民医療費（兆円）	人口一人当たり 国民医療費（万円）
1990年	21	16.6
1995年	27	21.4
2000年	30	23.7
2005年	33	25.9
2010年	37	29.2
2017年	43	33.9

厚生労働省「平成29年度国民医療費の概況」2019年9月より

程度であるが，1960年代はその割合は逆になっていた。これは，医療技術の開発によって，多くの「命」が助かるようになったため，終末期を病院で迎えることが多いからである。

　特殊な医療機器さえあれば，生命を維持していくことは困難なことではない。特に，1970年以降の人工呼吸器や酸素療法などの医療技術の発展はめざましく，特効薬も開発されたため，重い障害が残ることもあるものの，「命」だけは助かるようになった。

　その意味では，医療機器が整った病院に入院するケースが増え，在宅療養が減少していったのであろう（ただし，ここ数年，在宅死が微増している傾向も見られるが）。

　もちろん，医療保障制度が整備され，入院における経済的負担も軽減されていったことも忘れてはならない。1960年代には経済的に入院することができず，やむなく在宅で療養し亡くなるといったケースが珍しくなかった。当時，入院するだけでも多額の自己負担が生じていたからである。

3．介護や障害が残ることもある

　ただし，「生命」を維持させることができても，障害が残り，寝たきりや意識不明といった状況になったままで，元の健康な状態に回復はすることが皆できない患者が増えたことも無視できない。これらの患者の中には，本人の意思に反して100歳前後になっても意識不明のまま生き続けている者もいるかもし

れない。

「終末期」をどう迎えるかについての考え方を社会が明確にしていないために，医療技術の開発とともに医療費を増大させている側面が否定できないのである。患者における「終末期」の位置づけが曖昧となっていることで，本来，寿命で「死」を迎えていた患者が医療サービスを享受し続けている実態もある。

いわば有限の医療資源をどのように配分していくかの議論で，全ての「命」を救うという前提に立った価値観について国民は見直していかなければならない時代にきている。その尺度として患者の「QOL（生活の質）」の視点から考えていく必要があろう。

つまり，増大する医療費のうち，患者の「QOL」に適さない医療サービスについては，どうしていくべきかの議論を避けられないと考える。

4．尊厳死もしくは安楽死の議論

数年前，国会では超党派による「尊厳死法制化を考える議員連盟」が中心となって，「尊厳死法」（終末期の医療における患者の意思の尊重に関する法律）の提出が模索された。この法案を簡単に理解すれば，事前に患者から書面などで希望があった場合，医師は延命措置を開始しなくてもよいとするものである。しかし，終末期の定義が曖昧なままでは，障害者団体などを中心に反対の声も多く，「生命」の軽視にもつながりかねない。

要するに，国民全体で「死」について真剣に議論し，一定の方向性を示さなければ患者のQOLに反した無駄な医療費が費やされてしまう。いわば「増大する医療費をどうするか」という議論は，人間の「死」を社会化させて一定のコンセンサスを得ていかなければ解決されない問題である。

5．無駄な医療とは？

それでは，現在の医療費のうち患者のQOLに適さない医療費はどの程度なのかと疑問をいだくかもしれないが，これを数値的に分析することは非常に難

表：終－2 　　　 2017年年齢別の医療費の現状

年齢階級	国民医療費 （兆円）	人口一人当たり 国民医療費 （千円）
総数	43	33.9
65歳未満	17	18.7
0 ～ 14 歳	2.5	16.2
15 ～ 44 歳	5.2	12.2
45 ～ 64 歳	9.3	23.2
65歳以上	26	73.8
70歳以上（再掲）	21	83.4
75歳以上（再掲）	16.1	92.1

資料）厚生労働省「平成29年度 国民医療費の概況」2019年 9 月より

しい。ただ，現在，厚生労働省の資料によれば75歳以上の老人医療費が約16.1兆円となっており（表：終－2），年々，増加の一途を辿っている。そして，2018年の老衰による死者は約11万人で第 1 位のがん，第 2 位の心疾患に続く人数だ。

　つまり，患者のQOLに基づき「老衰」で亡くなる高齢者が増えていけば，その分だけ医療費は不要なるため老人医療費の増加も緩やかになる。その意味では，「老衰」の増加率と増え続ける老人医療費の割合との相関関係を分析していくことで，無駄な医療費を類推することは可能かもしれない。

　本書では，紙面の関係で別の機会に触れることとするが，「老衰」に至るプロセス的な価値観においては大きな課題が残る。

　いわば医療費問題の議論をするには経済的な議論をすると同時に，人間の「死」について真剣に議論をしなければ抜本的な議論は不可能である。この議論を避けていては，社会的にも人間的にも不幸な状況が続くと考える。

6．平均寿命と健康寿命の差は伸びている

1）健康寿命が重要

　繰り返すが，本書の第 1 章でも述べたとおり，日本の平均寿命は世界でもトップクラスで，2018年女性が87.32歳，男性が81.25歳である。これらは医療保

障の恩恵を真っ向から受けていることになる。

　ただし，今後も高齢者人口が増えることから，国民医療費の増加は避けられない。高齢化率の上昇により高齢者医療の急増が大きな要因として挙げられる。そして，平均寿命が伸びていることは，必ずしも「介護」ニーズを考えると，喜ばしいことでないかもしれない。

　そもそも日常生活に支障のない寿命を「健康寿命」と呼ばれる。2001年男性の平均寿命が78.07歳に対して健康寿命は69.40歳。女性の平均寿命は84.93歳に対して健康寿命は72.65歳であった。そして，2016年の健康寿命男性72.14歳，女性74.79歳となっており，平均寿命と健康寿命の差は男性8.84年，女性12.35年である。

　つまり，いくら「平均寿命」が伸びたとしても，健康寿命との差が一定程度あるとと，医療や介護サービスなどの必要な時期が必要となり「生活の質」という視点ではデメリットとなる。

　医療技術の進歩によって人の「命」は，延命できるようになった。急に体調を崩し救急車で運ばれても，命だけは助かるといったケースは増えている。しかし，人間が元気で過ごせる「健康寿命」は，未だ男女共に70歳前半だ。

　つまり，再雇用を含めると65歳まで働くことが一般化しつつある現代社会において，引退後65歳から旅行・趣味・ボランティといった老後を充分楽しめる時間は，個人差もあるが平均5年弱となっている。人生100年時代と言われるが，未だ元気で過ごせるのは「70年時代」ともいえなくもない。

2）平均寿命と健康寿命の差を縮小させるか

　本書の第1章でも説明したが，今後の介護現場の動向は，いかに社会や個人が，健康に留意する意識が向上し，「平均寿命」と「健康寿命」との差を縮小させていけるかが問題となってくる。もし，この差が縮小できるのであれば，結果として医療や介護サービスをあまり利用せずに，人生を全うする人が増えていくことになる。つまり，それだけ高齢者医療費や介護費用も節約でき，社会保障政策にも有効となる。

　そこで，介護士は，高齢者のケアといった側面も併せて，少しでも健康状態

に近づける介護が，できるか否かが重要となってくる。例えば，在宅介護では，独居高齢者に対してケアをしながらの声掛けや積極的な関わり。買い物などの単なる支援ではなく，外出を促して同伴させていく買い物支援などが挙げられる。

　既述のように「ピンピンコロリ（PPK）」の人生を目指したいと思っている人が多いと思うが，これを社会化していく指標として，「平均寿命」ではなく「健康寿命」という価値観を社会に根付かせていくことが必要となるであろう。

3）老後の人生設計

　老後の人生設計を考える場合，自分が「いつまで健康でいられるか？」を，想定しながら考えなければならない。いくら平均寿命が伸びたとしても，何らかの疾病や障害が伴い介護サービスが必要となれば，人の「生活の質」は低下していく。

　そのため，日々，「健康寿命」を延ばすために，運動や食生活に気を遣いながら，個人の健康管理に邁進していく社会が目指されるべきである。仮に，軽度者の方で介護サービスを利用していたとしても，それらに関わる介護士らは，できるだけ自身で身体が動かせる期間を長くしていくよう，高齢者の支援に携わるべきである。いわば自立支援をめざす介護とは，「健康」に近づけていく介護である。いわば「保健」ということが重要となる。

（淑徳大学総合福祉学部教授）

執筆者

木島望美（地域包括支援センター，社会福祉士）：第3章担当。

元田宏樹（聖学院大学准教授）：第4章担当。

藤田則貴（東京通信大学助教）：第5章担当。

小松仁美（東洋大学非常勤講師）第6章担当。

松山美紀（専門学校新国際福祉カレッジ専任教員）：第9章担当。

吉田浩滋（元鎌ヶ谷市役所職員　言語聴覚士）：第10章担当。

田坂美緒（就労継続支援B型事業所施設長）：第11章担当。

小板橋恵美子（東邦大学教授）：第12章担当。

大薫塚（元千葉県庁職員）：第13章担当。

高橋千聖（淑徳大学大学院生）：第14章担当。

わかりやすい福祉と医療・保健の仕組み

編者：結城 康博（ゆうき やすひろ）

1969年生まれ。淑徳大学社会福祉学部卒業。法政大学大学院修了（経済学修士，政治学博士）。1994〜2006年，東京都北区，新宿区に勤務。この間，介護職，ケアマネジャー，地域包括支援センター職員として介護係の仕事に従事（社会福祉士，介護福祉士）。現在，淑徳大学総合福祉学部教授（社会保障論，社会福祉学）。『介護職がいなくなる』岩波ブックレット。その他，多数の書籍を公刊。：本書第1章，第7章，第8章，終章担当。

編者：河村 秋（かわむら あき）

東京医科歯科大学大学院保健衛生学研究科博士（後期）課程修了。専門は母子保健（母子相互作用，児童虐待予防，子育て支援），他に高齢者の介護予防に関する研究など。

現在，和洋女子大学看護学部准教授（公衆衛生看護学領域）。千葉県内の自治体において，非常勤保健師として養育支援訪問にも携わっている。本書第2章担当。

2021年3月25日初版第一刷発行

編者	結城 康博・河村 秋
発行者	早山隆邦
発行所	有限会社 書籍工房早山
	〒145-0071
	東京都大田区田園調布1-15-6
	電話 03-3722-3693　FAX 03-3722-3693

ⒸYuki Yasuhiro, Kawamura Aki 2021
Printed in Japan 〈検印省略〉
印刷・製本　モリモト印刷株式会社
ISBN 978-4-904701-56-0 C0036